Jennifer Finiany

Fürsorge – für mich und für andere

Stephan von Stepski-Doliwa

FÜRSORGE
FÜR MICH UND FÜR ANDERE

Foto auf dem Cover von Detlev von Kessel
Foto auf der Rückseite von Detlev von Kessel

Alle Rechte vorbehalten, auch die der photomechanischen Wiedergabe und der Speicherung auf elektronischen Medien.
Dies gilt sowohl für den gewerblichen als auch für den privaten Bereich.

1. Auflage 2013
Copyright © 2013 by Doliwa Sai Verlag ®
Lerchenstr. 10, D 82284 Grafrath
Telefon: +49 (0)7150-351437 oder (0)8144-996561
Fax: +49 (0)8144-996677 oder (0)7150-974242

E-Mail: kontakt@doliwa-verlag.de, kontakt@doliwa-sai-verlag.de

www.doliwa-verlag.de, www.doliwa-sai-verlag.de
www.vonstepski.de

Einbandgestaltung: Stephan von Stepski-Doliwa
Textlayout: Ulrike Wolter
Satz, Druck- und Bindearbeit: GG-media GmbH, Kirchheim bei München
Printed in Germany

ISBN 978-3-930889-31-1

INHALT

Danksagung 6
Vorwort 7
Einleitung 9
1. Wozu Fürsorge? 12
2. Erziehung und Fürsorge 28
3. Struktur und Ordnung 61
4. Mein Leben planen 72
5. Positivität und Negativität 76
6. Ja und Nein 87
7. Perfektionismus und Vollkommensein 97
8. Vater Sonne und Mutter Erde 116
9. Zeit 129
10. Gelebter Glaube 137
11. Zartheit, Zufriedenheit, Glück 148
12. Fürsorge und Therapie 157
13. Die Step by Stepski Methode 182
14. Das Gayatri 204
Literatur 206

DANKSAGUNG

An dieser Stelle danke ich sehr Ulrike Wolter, die auch dieses Buch formatierte. Sie begleitet meine Bücher seit vielen Jahren und sie ist es, die aus vielen Kapiteln durch das Formatieren ein Buch schafft. Das heißt: Ohne sie blieben die Kapitel ein Manuskript und es wäre nicht möglich, sie zu drucken.

Besonders danke ich auch Dr. Ralph Müller, Uta Sailer, Matthias Prams, Dr. Carola Reindl und Stefan Rutt, denn sie haben dieses Projekt mit großem Engagement, viel Kompetenz und unermüdlichem Einsatz begleitet. Ihr Wissen und ihre Fürsorge waren vorbildlich.

Grafrath, 20.1.2013

Vorwort

Von meinem Schwager Detlev von Kessel habe ich bereits vier Titelbilder. Auf der Suche nach einem passenden Bild zum *Fülle*-Buch bin ich extra zu ihm gefahren, um ein geeignetes Foto zu finden.
Das Bild zum *Fürsorge*-Buch kam dagegen auf einem ganz anderen Weg zu mir.
Ich verstehe mich sehr gut mit meinem Schwager und so besuche ich ihn regelmäßig, wenn ich in den USA bin, wo er lebt.
Bei einem dieser Besuche ergab es sich – genau zu dem Zeitpunkt als ich dieses Buch zu Ende geschrieben hatte –, dass ich das Bild dieses Covers bei ihm an der Wand hängen sah. Es sprach mich sofort an und ich fragte ihn, warum er gerade dieses Foto aufgehängt habe.
Da berichtete mir Detlev, es sei das Foto einer Familie in einer absoluten Krisen- beziehungsweise Fürsorgesituation.

AN DEM TAG, an dem es entstand, hatte der Mann zusammen mit seinem Sohn einen Autounfall unversehrt überstanden. Kurz bevor der Unfall stattfand, bei dem ein anderes Auto in sie hinein fuhr, war dem Mann aufgefallen, dass sein Sohn in der Mitte auf dem Rücksitz saß und nicht angeschnallt war. Deshalb forderte er ihn auf, dies sogleich zu tun. Gott sei Dank kam sein Sohn dieser Aufforderung sofort nach, denn kurz darauf ereignete sich der Unfall. Wäre der Junge nicht angeschnallt gewesen, hätte es ihn nach vorne geschleudert – mit unabsehbaren Folgen. So waren beide doppelt froh, dass sie den Unfall heil überstanden hatten.

IN DER WOCHE hatte sich auch noch das kleine Mädchen den Arm gebrochen – deshalb der blaue Gipsverband auf dem Foto.
IN DEM MONAT fand die Scheidung zwischen dem Mann und seiner damaligen Frau statt. Auch ein großes Thema von Fürsorge, denn es sind vor allem die Kinder, die unter der Trennung der Eltern leiden. Diese Eltern handhaben es aber so, dass sie sich mit großer Fürsorge für ihre Kinder einsetzten und einsetzen.

Nun verstand ich, warum mich dieses Foto so sehr angesprochen hatte: Es zeigt drei Menschen, die an dem Tag, in dieser Woche, in diesem Monat Entscheidendes erlebten. Und die Fürsorge bedingte, dass heute alle drei sehr gut IHREN Weg gehen.

EINLEITUNG

Ein Buch zu schreiben hält immer auch Überraschungen bereit. So wurde mir diesmal erst beim Schreiben bewusst, dass es nicht nur eine Fürsorge, sondern auch eine **Grundfürsorge** gibt. Es ist dies ein Grundgefühl, das uns emotionale Sicherheit bietet, das Richtige für uns und für andere zu wählen. Mit der Erkenntnis der Grundfürsorge einer kam die Erkenntnis, dass dieses Buch „zu spät" kommt.
Es hätte vor meinem Buch *Fülle* kommen müssen, denn es ist die (Grund-)Fürsorge, die uns zur Fülle bringt.
So habe ich auch bis zu diesem Buch gebraucht, um beim Schreiben gut für mich zu sorgen und auf das Diktiersystem umzusteigen, was meine Schultern, meine Arme und meine Hände enorm entlastet hat im Vergleich zum bisherigen Schreiben, Korrigieren und noch einmal Korrigieren auf der Tastatur.

Doch zurück zur **Grundfürsorge**: Wie viele von uns sagen „Hätte ich doch eine Grenze gesetzt!", „Hätte ich doch gesagt, was ich dachte, was ich fühlte, was mir auffiel!" Es ist die Grundfürsorge, die mir das sichere Gefühl gibt zu wissen, wann ich handeln kann, wann ich handeln sollte, wann ich handeln MUSS. Es ist die Fürsorge, die mich wissen lässt, wann zu handeln und wann inne zuhalten ist – in einer Bandbreite die da geht von dem instinkthaften Reagierens der Tiere bis hin zur Klugheit der Weisen.
Der große chinesische Philosoph Laotse (6. Jahrhundert v. Chr.) prägte den Satz: *Tue nicht und alles wird getan.* Ein kluger Satz, der – falsch angewendet – mich sogar ins Gefängnis bringen kann. Sitze ich zum Beispiel am Beckenrand und

sehe, dass ein Kind am Ertrinken ist, dann ist es meine Pflicht, hinein zu springen und es zu retten, sonst mache ich mich der unterlassenen Hilfeleistung schuldig und kann belangt werden.

Es gibt aber viele Situationen, in denen wir zu viel tun, zu ungeduldig sind, zu viel reden, zu viel verlangen, unserem Gegenüber zu wenig Raum geben, zu wenig zuhören, zu schnell urteilen. In all diesen Fällen stimmt der obige Satz total: Tue ich hier weniger, entsteht viel Positives. Und wie weiß ich, wann ich handeln soll und wann nicht? Die Antwort lautet: **Das lehrt mich die Fürsorge – die Fürsorge für mich und andere.**

Je besser meine Fürsorge ist, desto genauer weiß ich, wann mein Tun und wann mein Nichttun gut für mich und für andere ist.
So verdanke ich es zum Beispiel meiner Fürsorge, dass ich zum ersten Mal einen Bd. 1 und einen Bd. 2 geplant habe. Deshalb ist es das erste Mal, dass ich nicht ein Thema mit einem Buch abhandle, sondern es mir und dem Leser leicht mache. Ich muss nicht so viel schreiben und korrigieren und der Leser hat nicht ein schweres Buch von 400 Seiten in der Hand. Deshalb erscheint dieses Buch 2013 und das nächste – *Fürsorge Bd. 2* – 2014.
Ich wünsche mir, mit diesem Buch dem Leser viele Anregungen zu geben, wodurch er fürsorglicher mit sich und anderen umgeht und deshalb Zufriedenheit, Glück und inneren Frieden findet.
Dies versuche ich aber nicht durch lange Abhandlungen oder Erklärungen zu vermitteln. Fürsorge ist ein Gefühl, deshalb bringe ich in diesem Buch viele Beispiele aus meiner Praxis, zahlreiche Geschichten und Filme, um damit nicht nur den Verstand, sondern auch das Gefühl anzusprechen.

Das Ziel dieses Buches ist, dass immer mehr Menschen ihre Fürsorge leben und damit ein Segen für sich, für ihre Mitmenschen, die Welt werden. Denn fürsorgliche, glückliche Menschen sind das wunderbare Veränderungspotential, das die Welt braucht.

1. Wozu Fürsorge?

Wozu ist Fürsorge wichtig? Auf der einen Seite wirkt dies wie eine ziemlich sinnlose Frage, denn es scheint selbstverständlich, dass Fürsorge wichtig ist. Schauen wir uns aber an, auf welche Art und Weise viele Menschen leben, wie sie mit ihrer Gesundheit, mit ihrem Partner, mit ihren Kindern oder mit ihrem Geld umgehen, dann ist diese Frage leider gar nicht so abwegig.

Fürsorge als Herausforderung

Der chinesische Philosoph Konfuzius (551-479 v. Chr.) sagte: *Wer die Wahrheit spricht, braucht ein schnelles Pferd.* Zuweilen habe ich das Gefühl, dies gelte genauso für jemanden, der für andere sorgt.
Ein passendes Beispiel hierfür ist Paula. Sie ist schon so lange bei mir, dass sie wissen müsste, dass ich sie schätze und dass ich für sie sorge. Als ich sie vor viel Ärger und Sorgen bewahren wollte, reagierte sie so, als wollte ich ihr schaden. Dies ist nichts Ungewöhnliches, denn so reagieren viele, denen man ehrlich helfen will. Warum? Weil sie es nicht kennen, und – wie wir sehen werden – es auch fürchten.

Paula hat sich selbständig gemacht und brauchte eine Homepage. Über ein Geldseminar lernte sie ein Paar, Johannes und Philippa, kennen, das ihr anschließend sehr nett half. Dieses Paar vermittelte ihr auch jemanden, Bernd, der bereit war, ihr die Homepage zu erstellen. Bernd sagte Paula, gewöhnlich nehme er zwischen 1000 und 2000 Euro für das Erstellen einer Homepage, aber ihr mache er einen Freundschaftspreis von

500 bis 700 Euro. Paula war einverstanden und die beiden telefonierten viel, denn es war Bernd wichtig, gut umzusetzen, was sie sich wünschte. Dann war die Homepage fertig. Aber Paula gefiel sie nicht. Daraufhin machte Bernd eine zweite und eine dritte. Die dritte nahm Paula dann an und Bernd schickte ihr eine Rechnung über 700 Euro. Da bekam er als Antwort einen Brief von einem Rechtsanwalt, worin stand, seine Mandantin (Paula) werde diese Rechnung nicht bezahlen.

Daraufhin rief Johannes sie an, um all dies zu klären. Aber Paula ging nicht ans Telefon, vielmehr bekam Johannes einige Tage später einen Brief des gleichen Rechtsanwalts, der ihm Verbot, sie weiter anzurufen!
In der Zwischenzeit traf ich Johannes, der mir schilderte, wie unmöglich er Paulas Verhalten fände. Er wolle gegen sie vor Gericht gehen, da er sich in der Pflicht Bernd gegenüber fühlte, dem er sie vermittelt hatte.
Ich fand die Situation sehr bedrohlich für Paula, denn erstens kannte ich Johannes' finanzielle Möglichkeiten und ihre. Zweitens schloss ich aus der Sachlage, dass Bernd mehrere Zeugen hatte, Paula dagegen keine.
Deswegen bat ich Johannes, noch einen Augenblick zu warten, bevor er gegen sie vor Gericht ging, und allen eine Chance der Klärung über eine Mediation zu geben. Johannes willigte ein.
So rief ich frohen Mutes Paula an und unterbreitete ihr die Möglichkeit, alles mit Johannes und Bernd friedlich zu klären. Paula aber war nicht sehr froh über meinen Anruf und sie war im Gegensatz zu Johannes nicht sogleich bereit, eine gute Lösung für alle zu finden. Das verwunderte mich, denn ich hatte sie völlig anders kennen gelernt. Vielmehr sagte sie, sie brauche Zeit zum Überlegen und würde sich dann melden. Lange hörte ich nichts. Dann kam eine erstaunliche Mail, in der sie mir mitteilte, sie wolle unbedingt den juristischen Streit ausfechten, deswegen bräche sie die Seminare bei mir ab, denn

sie wolle mit niemanden anderem als ihrem Anwalt darüber reden.

Es ist nun nicht so, dass Paula ein Einzelfall wäre. Vielmehr passiert es immer wieder, dass Teilnehmer die Gruppe aufhören, weil ich sie vor einer Gefahr warne, die sie nicht sehen WOLLEN. Da ist die junge Frau mit dem viel älteren Mann zusammen, der ihr keine Zukunft bietet, weder sie heiraten noch eine eindeutige Beziehung mit ihr haben will und ebenso auch keine Kinder, der sie nicht achtet und im Grunde nur seinen Egoismus lebt. Was tut sie? Sie hört die Gruppe auf.
Und was macht ein Mann, der in der Therapie sieht, wie er sich mit seiner Negativität die besten Chancen verbaut? Er hört die Gruppe auf.
So habe ich viele Beispiele, wie negativ Menschen reagieren, wenn für sie gesorgt wird beziehungsweise wenn sie sehen, dass sie besser für sich sorgen müssten.

FÜRSORGE ALS GEFAHR

Warum reagieren Menschen so, wenn für sie gesorgt wird? Warum fliehen sie aus einer Situation, in der sie sehen, dass sie nicht für sich sorgen? Warum gehen sie, wie ich immer wieder beobachten muss, den absolut schwereren Weg und lernen durchs Leben auf eine häufig viel härtere Art und Weise?
Die Antwort ist: Weil alte, unbewusste Erlebnisse aktiviert werden. Ich habe schon so viele Menschen berichten hören, was ihnen in ihrer Kindheit geschehen ist, nur weil sie eine Frage stellten oder einen Wunsch äußerten. Ich kann ihre Ängste sehr gut verstehen, da sie leider häufig völlig berechtigt waren.

So weiß ich von Patienten, die von ihren Eltern windelweich geschlagen wurden, nur weil sie einmal widersprochen haben. Dies ist auch der Grund, warum sie sich in der Gruppe ganz

angepasst geben und sich bei allen sehr herzlich bedanken. Kaum sind sie aber zuhause, schreiben sie eine Mail, in der sie sich beklagen, wie sehr sie sich unter Druck gesetzt fühlten.
Sie tun all dies, weil sie entweder den Druck in der Gruppe nicht wahrnehmen oder nicht ansprechen durften. Das Bedauerliche daran ist aber, dass sie wahrscheinlich nie erfahren werden, dass der Druck nicht von der Gruppe kam, vielmehr die Therapie den ihnen völlig unbewussten Druck aktiviert hat.
Was mir für diese Menschen so leid tut, ist, dass ihre Kindheitssituation sie in einen wahren Kerker gesteckt hat. Sie wurden derart unterdrückt, dass sie am Ende gar nicht mehr spüren, erstens wie sehr sie unterdrückt wurden und zweitens wie verboten es immer noch ist, dies zu spüren, geschweige denn zu sagen.
Das Schreckliche an dem Ganzen ist, dass aller Wahrscheinlichkeit nach das heutige Opfer zum morgigen Täter wird. Denn das eigene Verhalten, das eigene Trauma ist so unbewusst, dass es genau so unbewusst zum Beispiel an die eigenen Kinder weitergegeben wird. Ein Kennzeichen dafür ist die Verlagerung der Verantwortung nach draußen: Ist es die Gruppe beziehungsweise die Therapie, die Angst macht, dann besteht keine Möglichkeit wahrzunehmen, dass die Angst von innen kommt und durch die äußere Situation nur aktiviert wird.

Fürsorge ist deshalb für diese Menschen eine absolute Gefahr, bei der sie genau wissen, wie es ausgeht, nämlich schlecht bis katastrophal.
So erlebe ich es andererseits, dass Seminarteilnehmer, die in ihrer Kindheit sehr verletzt wurden, schildern, wie sie sich in der Gruppe fühlen und was sie befürchten. Hier ist zum Teil kaum zu glauben, welch eine Diskrepanz zwischen der realen Situation besteht und dem, wie sie sie erleben.
So saß Sieglinde eingeschüchtert und angespannt in der Gruppe. Ich fragte sie, wie es ihr gehe. Sie sagte, sie fühle sich wie bei einem Prozess, in dem es um Leben und Tod gehe. Ein

falsches Wort und es sei vorbei. Wir waren alle sehr berührt. Nach einer Weile fragte ich sie, woher sie das kenne, und ob beziehungsweise was für Bilder bei ihr hochkämen. Da berichtete sie, sie habe sich einmal als sie klein war, allein gefühlt und habe deshalb mit ihren Puppen in der Küche spielen wollen. Ihre Mutter wollte dies aber nicht. Als Sieglinde nicht rausgehen wollte, da packte die Mutter sie, schob sie in die Besenkammer und sperrte diese ab. Nach einer ganzen Weile sperrte sie auf und sagte zu Sieglinde: „Ich habe mir überlegt, du warst so unverschämt, dass du noch einiges verdient hast!" Sie nahm sie, legte sie übers Knie und schlug sie mit einem Kochlöffel.

Wenn wir diese entsetzlichen Geschichten hören und die Not verstehen, die viele Menschen erleben, dann wird uns auch verständlich, warum so viele Menschen ein Problem mit Fürsorge haben. Für viele war auszudrücken, was sie brauchten, hoch gefährlich. Und dieses destruktive Programm beginnt bereits damit, dass Eltern Babys stundenlang schreien lassen, damit diese sich schon früh an geregelte Zeiten gewöhnen beziehungsweise damit sie von Anfang an „nicht auf die Idee kommen", ihre Eltern zu tyrannisieren.
Hat man dies erlebt, ist man so aufgewachsen, so sind die Fragen: „Wie geht es dir?", „Was brauchst du?", bereits eine Überforderung, denn dies zu spüren, es zu sagen oder gar zu leben, war in den oben erwähnten Familien wirklich der reinste Horror.
Dies ist auch der Grund, warum einige, die neu in eine meiner Gruppen kommen, es befremdlich finden, wie fürsorglich hier miteinander umgegangen wird. Durch die Erlebnisse ihrer Kindheit ist Fürsorge für sie nichts Positives. Deshalb brauchen sie einige Zeit, bis sie feststellen, dass sie hier Raum haben, völlig Neues zu erleben. Und dieses völlig Neue ist, sagen zu können, was sie brauchen.

Grundfürsorge als Basis

Der Freudschüler und berühmte Psychoanalytiker Erik H. Erikson (1902-1994) prägte den Begriff des Urvertrauens. Er besagt, dass Kinder durch die positive und sichere Beziehung zu ihren Eltern lernen zu unterscheiden, wem sie vertrauen können und wem nicht (vgl. mein Buch *Achtung! ... mir selbst und anderen gegenüber*, S. 84). Vom Thema der Fürsorge aus betrachtet, bedeutet dies in meinen Augen, dass Kinder durch die Fürsorge der Eltern lernen, für sich zu sorgen.

Ich möchte dies die **Grundfürsorge** nennen, denn sie ist die Basis von allem. Denn was nützt mir, dass ich weiß, wem ich vertrauen kann und wem nicht, wenn ich anschließend nicht weiß, WOFÜR ich demjenigen vertrauen sollte? Was nützt es mir, wenn ich ein solides Urvertrauen habe und zum Beispiel die besten Ärzte aussuche, aber durch riskantes Autofahren mein Leben beziehungsweise meine Gesundheit und meine Unversehrtheit aufs Spiel setze?

Es ist deshalb so UNENDLICH WICHTIG, dass **wir von unseren Eltern diese Grundfürsorge lernen, denn sie ist die Basis für alles**, nämlich für:

1. Gesundheit
2. Zufriedenheit
3. Glück
4. Gute Beziehungen
5. Beruf
6. Erfolg

7. Ansehen

8. Finanzen

9. Wohlstand

Wer nicht für sich sorgen kann, lebt falsche Erwartungen und damit häufig die der Eltern. Das heißt, er lebt so, wie er gelernt hat, dass seine Eltern es von ihm erwarteten beziehungsweise wünschten, weil es sonst Ärger gab.
Die Haltung solcher Eltern ist völlig anders als die Grundfürsorge. Fürsorgliche Eltern haben empathisch, nachempfindend auf ihr Kind reagiert und waren in der Lage zu spüren, was es braucht. Grundfürsorge entsteht auch dadurch, dass Eltern ihren Kindern vorsichtig Grenzen setzen. Vorsichtig bedeutet, dass ihnen wohl bewusst ist, dass Kinder fordern dürfen, fordern sollen. **Dass ein Kind das Recht hat zu fordern, bedeutet aber keinesfalls, dass Eltern auch alles erfüllen müssen**. Das Besondere bei der Grundfürsorge ist, dass Eltern in der Lage sind, die Interessen ihres Kindes mit den eigenen in Einklang zu bringen. Es gibt hier nicht das unheilvolle: „Du böse, ich gut!" In einer fürsorglichen Eltern-Kind-Beziehung werden die jeweiligen Interessen miteinander abgewogen, was nicht bedeutet, dass sie zuweilen nicht auch gegeneinander prallen können. Wichtig hierbei ist zweierlei: **Die gegenseitige Achtung und der Wunsch für sich UND für den anderen zu sorgen.**

Deswegen ist Fürsorge ein Basisgefühl. Positiv gelebte Fürsorge bedeutet das ernsthafte Bemühen, meine Interessen mit denen meines Gegenübers in Einklang zu bringen. Die Grundfürsorge gibt mir das sichere Gefühl, mit wem ich das kann, mit wem nicht und bei wem ich erst gar nicht damit anfangen sollte.

So ist es die Fürsorge, die mir die innere Möglichkeit gibt, für meine **Gesundheit** zu sorgen, und dafür, dass ich mich an die richtigen Menschen wende, die mir hier weiterhelfen.

Es ist die Fürsorge, die mir das RECHT gibt zu spüren, was ich BRAUCHE, um **zufrieden** zu sein. Viele Menschen können auch deshalb nicht zufrieden sein, weil sie nicht gut für sich sorgen, daher nicht einmal wissen, was sie wirklich brauchen und so immer ein latentes Gefühl haben, nicht das zu bekommen, was sie gerne hätten. Das macht unzufrieden.

Es ist die Fürsorge, die mir das satte Gefühl gibt, dass ich wichtig bin, dass andere mir wichtig sind und dass ich meine Interessen in eine gute Balance mit denen der anderen bringen und halten kann. Das schafft **Glück**.

Es ist die Fürsorge, die mich einen guten **Partner** und gute **Freunde** wählen lässt. Es ist diese Fürsorge, die mich wissen lässt, dass der richtige Partner und hervorragende Freunde mit das Wichtigste im Leben sind. Durch die Fürsorge weiß ich, wie viele Menschen Hab und Gut oder gar ihr Leben verloren haben, weil sie den falschen Partner oder die falschen Freunde wählten. Der richtige Partner und gute Freunde dagegen **Fülle** darstellen.

In meinem Buch *Fülle* habe ich viele Punkte aufgezählt, derer man sich bewusst werden und die man sich vor Augen halten sollte, wenn man den richtigen Partner finden möchte, oder jemanden kennengelernt hat und nicht weiß, ob er den eigenen Vorstellungen entspricht oder nicht (*Fülle*, S. 149 f.).

Denn der richtige Partner ist DIE Voraussetzung für ein glückliches Familienleben und die Geborgenheit der Kinder, da hier die falsche Wahl das Zerbrechen der Familie bedeuten kann, was fast immer eine Katastrophe für die Kinder darstellt und somit Fürsorge gründlich ausschließt.

Es ist die Fürsorge, die mich wissen lässt, dass neben einem hervorragenden Partner der richtige **Beruf** von größter Bedeutung ist. Es ist die Fürsorge, die mich nicht allein des Geldes wegen arbeiten lässt, sondern mich anhält, so lange zu suchen, bis ich meine Berufung finde, aus der sich dann der richtige Beruf für mich ergibt. Dies fasst der oben bereits erwähnte Weise Konfuzius wunderbar zusammen: *Wer sich für eine Arbeit entscheidet, die er wirklich gern macht, wird keinen einzigen Tag in seinem Leben arbeiten müssen.*

Es ist die Fürsorge, die mich achtsam mit mir, mit meinen Mitmenschen und mit meinem Beruf umgehen lässt. Die Fürsorge lässt mich wissen, wie viel ich investieren muss, damit die Interessen aller im Einklang sind. Das führt zum **Erfolg**.

Es ist die Fürsorge, die mich positive Werte leben, die mich ein Herz für andere haben lässt, und dadurch bedingt, dass ich gerne und im rechten Maß für andere da bin. Das führt zu **Ansehen**.

Es ist die Fürsorge, die mich achtsam mit meinem **Geld** umgehen lässt. Achtsam mit Geld umzugehen bedeutet, stets mindestens 10% zu sparen, fürs Alter vorzusorgen, achtsam mit den Ausgaben zu sein, hervorragende Berater zu haben und auch immer einen Teil zu spenden.

Und es ist die Fürsorge, die durch all dies zusammengenommen mich zum **Wohlstand** führt.

DER MAßSTAB

Jim Collins, Professor an der Stanford University, schrieb den Bestseller *Good To Great*, auf Deutsch *Der Weg zu den Besten*. Darin beschreibt er etwas Hochinteressantes: Hervorragende Menschen leisten Hervorragendes und sind zudem auch noch günstig. Warum? Erstens weil sie die berühmten 110% geben und zweitens, weil sie weniger Fehler machen und so weniger durch sie verloren geht. Drittens kann man sich auf hervorragende Menschen verlassen.

Gut dagegen ist ein Mittelwert. Jemand hat im Zeugnis eine „zwei" also ein „gut", weil er zum Beispiel in einigen Fächern ein „sehr gut" hat, aber in manchen auch eine vier, fünf oder sechs. D.h., wenn ich mit ihm zu tun habe, weiß ich nie, mit welchem Gebiet ich nun konfrontiert werde, ein Gebiet, in dem er hervorragend oder eins, in dem er miserabel ist?

Wir wissen aber, dass jeder Betrieb so gut ist, wie sein schwächstes Glied. Es nützt bei einer Kette nichts, wenn alle Glieder Tonnen tragen können, aber eines nur ein paar 100 Kilo. Die anderen Glieder werden die Schwäche des einen Glieds nicht ausgleichen können. So hilft es auch nicht, wenn eine Firma ein hervorragendes Know-how hat, hervorragend produziert und ein hervorragendes Marketing hat. Ist der Versand miserabel, kann er allein die Firma in den Konkurs treiben.

Und so ist es auf allen Gebieten. Ist ein Lehrer hervorragend von seinem Wissen her, aber ein miserabler Pädagoge, dann wird das Ergebnis seiner Klasse entsprechend schlecht sein.

Ist ein Zahnarzt ein hervorragender Diagnostiker, aber ein schlechter Praktiker, dann wird er seinen Patienten entsprechend schaden. Ist ein Rechtsanwalt hervorragend in seiner Vorbereitung, kann aber nicht verhandeln, wird das Ergebnis entsprechend sein.

Ist ein Therapeut sehr empathisch, weiß aber sonst nicht, was er mit den Patienten tun soll, wird er diese nicht weit bringen.

Wir haben es hier mit dem Gesetz des italienischen Ökonoms Vilfredo Pareto (1848-1923) zu tun, der feststellte, dass sich alles nach dem Gesetz 80:20 aufteilt. 20% der Mitarbeiter erledigen 80% der Arbeit, 80% der Mitarbeiter erledigen 20% der Arbeit.

Diese 20% lassen sich, meiner Erfahrung nach, nochmals aufteilen in 15:5. Auf allen Gebieten gibt es 80% Mittelmäßige bis Schlechte, 15% Gute und nur 5% Hervorragende. Und eben diese müssen wir finden.

Der Weg dahin besteht als ERSTES darin, dass wir uns dieses Sachverhalts BEWUSST werden und dann ENTSCHEIDEN, dass wir von nun an nur noch die Hervorragenden FINDEN (nicht suchen!) wollen.

Fällen wir diese Entscheidung, verändert sich unser Leben grundlegend. Vorausgesetzt wir leben eine entsprechende Fürsorge. Denn es hängt von der Fürsorge ab, welche Menschen wir finden wollen und können.

Ist unsere Fürsorge schlecht, so geraten wir an Schlechte.
Ist unsere Fürsorge gut, geraten wir an Gute.
Ist unsere Fürsorge hervorragend, geraten wir an Hervorragende.

Damit wird deutlich, wie entscheidend die Fürsorge in unserem Leben ist. Können wir nicht für uns sorgen, so „sorgen" wir dafür, dass wir uns Miserable auf allen Gebieten suchen. Können wir etwas für uns sorgen, dann wird die Hilfe schon besser. Sie muss aber noch lange nicht gut, geschweige denn hervorragend sein.

Haben wir dagegen eine Grundfürsorge, dann sorgen wir hervorragend für uns und finden exzellente Menschen für all das, was wir brauchen.

Wieder einmal sehen wir, dass es die Fürsorge ist, die den großen Unterschied macht und Umstände ermöglicht, die jemand ohne Fürsorge niemals erreicht. Der Mensch mit Grundfürsorge sagt: „Es wird wunderbar für mich gesorgt!" Derjenige ohne Fürsorge sagt dagegen: „Es ist wie verhext, es geht alles schief!" Dies bestätigt das wichtige Gesetz von *Wie innen so auch außen.* Es sind unsere Einstellungen, die den großen Unterschied machen. Es ist unsere, häufig völlig unbewusste, Ausrichtung, es ist unser Kontakt zur Grundfürsorge oder der Mangel dieses Kontaktes, der zwischen Erfolg und Misserfolg, Gesundheit und Krankheit, Glück oder Leiden, Gewinner oder Verlierer entscheidet.

Deshalb ist es so wichtig, dass wir uns BEWUSST WERDEN, was wir wirklich suchen: Hervorragendes, Mittelmäßiges oder gar Schlechtes.

WORAN ERKENNT MAN HERVORRAGENDE MENSCHEN?

Um ein Gefühl für hervorragende Menschen zu vermitteln, habe ich eine Liste erstellt, die die Eigenschaften von Topleuten wiedergibt:

1. Sie sind freundlich und liebenswert.
2. Sie haben eine gute Beziehung.
3. Sie haben hervorragende Freunde.
4. Sie lieben, was sie tun.
5. Sie reflektieren ihr Verhalten.
6. Sie lernen aus Fehlern.
7. Sie holen sich Rat bei hervorragenden Menschen.
8. Sie sind hervorragende Mitarbeiter.
9. Sie sind hervorragende Chefs.

10. Sie haben hervorragende Mitarbeiter, mit denen sie sehr achtsam umgehen.

11. Hervorragende Menschen können nicht sagen, wo sie lieber sind: Zuhause oder im Beruf.

12. Hervorragende Menschen behandeln ihre Mitmenschen achtsam.

13. Es geht ihnen zuerst um die Menschen, dann um die Sache und erst dann ums Geld.

14. Hervorragende Menschen leben die Einheit von Gedanken, Worten und Werken.

15. Sie achten ebenso auf das Wesentliche wie auf Details.

16. Sie sind präzise.

17. Sie sind fair.

18. Sie sind wohlwollend mit sich und anderen.

19. Sie sind zuverlässig.

20. Hervorragende Menschen halten Wort.

21. Sie identifizieren sich mit dem, was sie tun.

22. Sie verstehen auch die Interessen der anderen.

23. Ihr Preis-Leistungs-Verhältnis ist immer günstig, d.h. hervorragende Menschen sind im Verhältnis zu dem, was sie leisten, günstig.

24. Sie helfen gern – kennen aber ihre Grenzen.

25. Sie sind offen für Neues.

26. Sie denken positiv – und deshalb sehr realistisch.

27. Sie sind dankbar.

28. Sie sind wahrheitsliebend.

29. Sie sind konfliktfähig und lösen Konflikte.

30. Sie können schwierige Situationen leicht machen – ohne leichtfertig zu sein.

31. Sie haben ein feines und sehr klares Gerechtigkeitsgefühl.

32. Hervorragende Menschen haben Ideale, Werte und halten sich daran.

33. Sie haben schriftliche Ziele und vergegenwärtigen sich diese regelmäßig.

34. Sie können im Flow sein.

35. Sie denken nicht in Problemen, sondern in Lösungen.

36. Sie können gut mit Kritik umgehen.

37. Sie treffen Entscheidungen erst nach reiflicher Überlegung und stehen dann zur getroffenen Entscheidung.

38. Sie haben Kontakt mit anderen hervorragenden Menschen.

39. Sie halten sich an die geltenden Gesetze.

40. Sie sorgen gut für sich und andere und dafür, dass andere gut für sich und andere sorgen.

41. Sie wissen, wann es genug ist, womit sie zufrieden sind und schätzen Erreichtes.

42. Sie vergeben sich und anderen.

Dies sind viele, für einige sehr viele, für manche vielleicht sogar zu viele Punkte – wobei die Nummerierung keine Reihenfolge darstellt.
Wir sollten uns aber davon nicht abschrecken oder entmutigen lassen. Vielmehr sollten wir **diese Liste immer wieder lesen und sie immer wieder ins Bewusstsein rufen, wenn wir dabei sind, wichtige Entscheidungen zu treffen.** Gehen wir zum Arzt, dann sollten wir unbedingt nicht nur auf seine Kompetenz, sondern auch auf seine Achtsamkeit sehen.

Ein Freund von mir, Wolfgang, tat dies nicht, und ließ es sich gefallen, als er dem Zahnarzt sagte, wo er Schmerzen habe, dass dieser ihn unterbrach und meinte: „Die Diagnose stelle ich!" Dann meinte er, was auch schon ein Verbrechen ist, der eine Zahn müsse gezogen werden und machte sich ans Werk, um nach kurzer Zeit festzustellen, dass er dabei war, den falschen zu ziehen. Er war nun aber schon so weit gegangen, dass er diesen gesunden Zahn zog und den kranken nicht mehr anrührte. So kam der arme Wolfgang mit mehr Schmerzen und mehr Problemen nach Hause, als er hatte, bevor er zum Zahnarzt ging.

Ganz anders dagegen der exzellente Zahnarzt, zu dem ein Patient von mir ging. Von anderen Stellen hatte er gesagt bekommen, man könne seine Vorderzähne nicht retten, man müsse sie alle ziehen und eine Brücke bauen. Der hervorragende Zahnarzt dagegen meinte, es gebe eine mehr als 60% Chance, die Zähne zu retten, und er werde alles tun, dies zu schaffen. Er machte eine absolut präzise und gründliche Wurzelbehandlung der Zähne und ließ ihnen die entsprechende Zeit auszuheilen. Damit erreichte er sein Ziel, sie zu erhalten. Deswegen konnte er sie anschließend überkronen, was allein von der Ästhetik her ein viel besseres Ergebnis ist. Er hat das geschafft, was nicht Hervorragende als unmöglich diagnostiziert hatten.

Um genau dies geht es: **Wir müssen unsere Fürsorge aktivieren.** Wir müssen uns immer und immer und immer wieder fragen: „Sorge ich hier für mich? Wird hier für mich gesorgt? Bin ich hier in exzellenten Händen?"
Wenn wir dies immer wieder tun, wenn wir unsere Fürsorge, unsere Achtsamkeit und unsere Aufmerksamkeit schulen, dann ersparen wir uns unendlich viel Ärger, und kommen damit zu Zufriedenheit, Freude und Glück.

Denn wie gesagt: Fürsorge ist die Basis von allem und für alles.

2. ERZIEHUNG UND FÜRSORGE

FÜRSORGE MUSS GELERNT WERDEN

1772 kam ein 10jähriger Hirtenjunge wie so häufig zum Gottesdienst. Er war der älteste von acht Kindern eines armen Leinenwebers – wie arm die Menschen dieses Standes waren, wissen wir seit Gerhard Hauptmanns Drama *Die Weber*. Zu diesem Gottesdienst kam auch der Freiherr Haubold von Miltitz, der aber zu spät kam und sehr betrübt war, weil er die Predigt verpasst hatte. Da wurde er darauf hingewiesen, er solle doch den Hirtenjungen fragen, denn der sei bekannt dafür, dass er die Predigten Wort für Wort wiedergeben könne. Der Freiherr fragte den Jungen und dieser konnte die gesamte Predigt wiederholen. Das beeindruckte den Baron so sehr, dass er ihn zuerst die Schule in Meißen und anschließend die Schule in Pforta bei Naumburg besuchen ließ. Danach konnte der ehemalige Hirtenjunge in Jena und Leipzig studieren.

Später lernte er die Philosophie Kants kennen und veröffentlichte durch dessen Vermittlung anonym seine Schrift *Versuch einer Kritik aller Offenbarung*. Da man annahm, dies sei die lang erwartete religionsphilosophische Schrift Kants und dieser bald darauf klarstellte, sie sei nicht von ihm, sondern von Johann Gottlieb Fichte, wurde der ehemalige Hirtenjunge über Nacht berühmt. So sehr, dass kein geringerer als Goethe ihm einen Posten als Philosophieprofessor in Jena anbot. Hier wurde er begeistert empfangen – auch von Friedrich Schiller, aber besonders durch seine Studenten.
Doch durch seine schroffe, abweisende und unnachgiebige Art verscherzte Fichte sich alle Sympathien so sehr, dass dieselben

Studenten, die ihn vorher so verehrten, anschließend die Fenster seines Hauses einwarfen. Außerdem verwickelte er sich besonders durch seine Starrköpfigkeit in den sogenannten Atheismusstreit. All dies führte dazu, dass Goethe ihn entlassen musste. Diese deutliche Ablehnung widerfuhr Fichte wiederholt, weswegen er immer wieder die Städte und seine Anstellungen wechselte. Er zog von Schulpforta nach Jena, von Jena nach Leipzig, von Leipzig nach Warschau, von Warschau wieder nach Jena, von hier nach Erlangen, von Erlangen nach Berlin. Am Ende seines Lebens fand er Gott, wurde milde und sesshaft, denn er blieb bis zu seinem Lebensende in Berlin. Er meldete sich freiwillig, um im Krieg gegen Napoleon kämpfen zu können. Seine Frau Johanna (Nichte des Dichters Klopstock) steckte sich mit dem sogenannten Lazarettfieber an. Fichte pflegte sie gesund, erkrankte aber selber daran und starb 1814.

Das andere Beispiel ist Dominik Brunner (1959-2009). Er entstammte einer wohlhabenden Familie aus Ergoldsbach in Bayern. Sein Vater war in führender Stellung im Dachziegeleiwerk Erlus tätig. Dominik Brunner hatte hier ebenfalls eine wichtige Position inne, nachdem er in München Rechtswissenschaften studiert und einige Auslandserfahrungen gemacht hatte.
Am 12. September 2009 setzte er sich sehr mutig für Jugendliche ein, die in der S-Bahn von zwei 17jährigen und einem angetrunkenen 18jährigen bedroht wurden. Sehr klug rief er aus der S-Bahn die Polizei, beging aber den großen Fehler, einem der Jugendlichen mit der Faust ins Gesicht zu schlagen. Darauf schlugen die drei ihn zu Boden und traten dort noch mehrfach auf ihn ein. Dominik Brunner starb kurz darauf im Krankenhaus, weil seine Herzschwäche diesen Zwischenfall nicht verarbeiten konnte. Er wurde postum mehrfach geehrt.

Was haben diese beiden Geschichten Trennendes und Verbindendes?

Das Trennende ist, dass Johann Gottlieb Fichte aus sehr armen Verhältnissen stammte und seine Familie weder angesehen noch in der Lage war, ihm eine Schulbildung geschweige denn ein Studium zu zahlen. Dominik Brunner entstammte dagegen einer angesehenen Familie, die ihm nicht nur ein Studium, sondern auch verschiedene Auslandsaufenthalte ermöglichte. Zudem konnte er in die Firma eintreten, in der bereits sein Vater eine wichtige Stellung inne hatte. Dominik Brunners Leben hatte von Anfang an eine klare Ausrichtung. Johann Gottlieb Fichtes Weg war nur möglich, weil ihm sein überragendes Gedächtnis, der Zufall und die Großzügigkeit des Freiherrn von Miltitz ungeahnte Möglichkeiten eröffneten.

Beiden ist aber gemeinsam, dass sie Konflikten nicht aus dem Weg gingen, dass sie zwar absolut mutig und geradlinig waren, aber leider Konflikte verschärften und nicht abmildern beziehungsweise lösen konnten. Deshalb verlor J. G. Fichte immer wieder seine Anstellungen und Dominik Brunner sein Leben.

Sie haben eine entscheidende Eigenschaft in ihrer Kindheit nicht gelernt: FÜRSORGE. Es ist die Fürsorge, die uns befähigt zu erkennen, WO wir für uns, WO wir für andere und WO wir dafür sorgen müssen, damit andere für uns sorgen können. Zudem ist es die Fürsorge, die uns so verhalten lässt, dass wir all dies erreichen können.

In meinen Gruppen stelle ich immer wieder fest, wie wenig viele Teilnehmer für sich sorgen, wie schwer sie sich das Leben damit machen und wie mühsam beziehungsweise unmöglich dadurch die einfachsten Vorhaben werden. So hatte ich einen Mann in einem Seminar, der bereits mit der Art und Weise, wie er sein Anliegen ankündigte, deutlich machte, dass er gar nicht für sich sorgen konnte. Ich wies ihn darauf hin, er verstand mich aber nicht. Es bedurfte einiger Anstrengung von mir und der Gruppe, um ihm nahe zu bringen, wie gefährdet er war, wie wenig er Situationen in ihrer Gefährlichkeit erkannte, wie wenig er sie deshalb entschärfte, sondern leider geradezu verschärfte. Ich stellte auch eine Parallele zu seiner Kindheit her, wo seine Eltern ihn einfach ins Internat gesteckt hatten, weil sie fanden, sie hätten zu viele Kinder und könnten sich nicht mit allen beschäftigen. Als es den Eltern passte, holten sie ihn wieder aus dem Internat raus, in das er sich bereits eingelebt hatte und in dem er sich nun wohlfühlte, und meldeten ihn in einem anderen an, von dem sie meinten, es sei besser für ihn.

Weder sein Vater noch seine Mutter fragten ihn auch nur EIN EINZIGES MAL, was er bräuchte, was FÜR IHN gut sei. Es wurde über seinen Kopf hinweg verfügt. Und was kam dabei heraus? Er wechselte unzählige Schulen, reüssierte immer wieder nicht, und wenn er doch Erfolg und etwas Geld gespart hatte, dann legte er es mit schlafwandlerischer Sicherheit so an, dass es im Nu weg war.

Nach der fünftägigen Gruppe begann er eine neue Arbeit, schützte sich aber so wenig, erkannte die Gefahren und Fallstricke nicht oder erst so spät, dass bald all die großen Hoffnungen, die er sich so schön ausgemalt hatte, zunichte gemacht waren. Auch er hatte von klein auf nicht gelernt, wie er für sich und andere sorgen konnte. So wurde er, ähnlich wie J. G. Fichte, nicht in der neuen Firma aufgenommen, weil sein Vorgesetzter ihn zu anstrengend, zu mühsam fand. Ist er das? Ich finde nicht. Ich finde nur, dass er sehr wenig versteht, was andere von ihm brauchen und was er von anderen haben MUSS, damit es keine Enttäuschung auf beiden Seiten gibt. Diese Fähigkeit muss in der Kindheit durch die Eltern angelegt, gefördert und anschließend immer wieder geübt werden. Dies ist die bereits erwähnte Grundfürsorge.

Die Aufgabe der Eltern

Als ich das erste Mal hörte, dass die Inder meinen, die Eltern, die Lehrer und der Guru seien Gott, konnte ich mit dieser Aussage nicht viel anfangen. Sie beschäftigte mich aber. Gleichzeitig war ich hin- und hergerissen, besonders wenn ich mir vorstellte, dass ein Lehrer zum Beispiel in einem Münchner Gymnasium sagen würde, die Eltern und die Lehrer seien Gott! Ich glaube, die Schüler würden die Klasse verlassen, weil sie annähmen, nun sei „der da vorne" völlig übergeschnappt.

Wenn ich aber in meinen Gruppen höre, was manche Eltern mit ihren Kindern im Guten wie im Schlechten anstellen und welche Auswirkungen dies über Jahre, nein Jahrzehnte hat, dann denke ich anders über obigen Satz nach.

Dies wird sehr schön in dem Film *Man muss mich nicht lieben* von Stéphane Brizé gezeigt. Jean-Claude (Patrick Chesnais) ist Gerichtsvollzieher und sehr verschlossen. Er führt ein freudloses Leben. Warum wird deutlich, als sein Vater ins Bild kommt. Dieser lebt im Altersheim und alle leiden unter seinem Missmut und seinen verbalen Attacken. Jean-Claude geht ihn aber jeden Sonntag besuchen, obwohl sein Vater kein gutes Haar an ihm lässt und ihm nur Schlechtes unterstellt. Jean-Claude hat aber nicht gelernt, für sich zu sorgen, für sich einzustehen, Grenzen zu setzen. Er kann nur schweigen und schlucken. Deshalb sagt er auch kaum etwas, als er seinen Vater fragt, wo all die Pokale geblieben sind, die er als jugendlicher Tennisspieler gewann und sein Vater ihm trocken antwortet, die Staubfänger hätten sie entsorgt.

In der Zwischenzeit war Jean-Claude beim Arzt, der ihm mehr Bewegung verschreibt. Da er seines Herzens wegen nicht mehr Tennisspielen darf und wegen des Chlors nicht schwimmen mag, entscheidet er sich zu einem Tangotanzkurs in der Schule, die er von seinem trostlosen Büro aus sieht. Hier lernt er Françoise (Anne Consigny) kennen. Sie spricht ihn an, sie erkennt ihn nämlich wieder, da sie als Pflegekind bei seiner Mutter war. Françoise ist aber verlobt und will demnächst heiraten. Ihr Verlobter ist seinerseits nur mit dem Schreiben eines Buches beschäftigt, weswegen er sich von seiner Schule, an der er lehrt, ein Jahr Auszeit genommen hat und deshalb unbedingt fertig sein möchte, wenn er wieder vor seine Klasse tritt. Das Problem ist nur, dass ihm nichts einfällt, beziehungsweise nur dann, wenn Françoise ihn bittet, mit in den Tanzkurs zu kommen.

Hier fühlt sie sich sehr zu Jean-Claude hingezogen und es ist sie, die ihn küsst und eine Beziehung zu ihm möchte. Dann erfährt er aber, dass sie demnächst heiraten möchte und ist empört. Und wie reagiert er? Fragt er nach? Sagt er, wie es ihm damit geht, dass er sich durch ihr Verhalten mehr erhofft hatte? Nein, er äußert keinen Ton. Vielmehr fährt er mit seinem Wagen weg, obwohl Françoise an das Beifahrerfenster klopft. Françoise kommt sogar in sein trostloses Büro, um sich zu erklären. Jean-Claude hört ihr zwar zu, sagt aber nichts von sich oder über sich, sondern schließt das Gespräch damit, dass er ihr sagt, er wolle sie nicht mehr sehen.
Anschließend wird deutlich, wie wenig Françoise sich bei ihrer Familie und ihrem Verlobten zu Hause fühlt. Auch sie sagt nichts. Auch sie lässt geschehen, auch sie flieht aus der Situation, wenn es ihr zu viel wird. Auch sie hat nicht gelernt, für sich zu sorgen, ihre Bedürfnisse zu äußern und damit ihr Leben und das der anderen zu gestalten. Stattdessen hört sie gedankenabwesend zu, wie ihre Mutter und ihre Schwester über die Tischordnung **ihrer** Hochzeit streiten. Sie reden darüber, wer wo mit wem sitzen soll. Françoise sagt kein Wort dazu und verhält sich so, als hätte all dies nichts mit ihr zu tun. Hat es auch nicht, denn Mutter und Schwester denken nicht einen Moment an sie, fragen sie **nicht ein Mal**, was sie sich wünscht. Sie ist das abgeschobene Pflegekind, das froh sein kann, dass es in der Familie sein **darf**, aber mehr Rechte hat es nicht.

Hierin ist Jean-Claude seelenverwandt, der sich von seinem Vater im Tennis zu Höchstleistungen antreiben ließ und am Ende auch dessen freudlosen Beruf und trostloses Büro erbte. Jean-Claude sagt nicht, was er braucht, SOLANGE eine Beziehung zwischen ihm und seinem Vater entstehen könnte. Er schluckt und schluckt, bis ihm der Kragen platzt, er ihm deutlich seine Meinung sagt – und für immer geht. Er hat leider nur gelernt zu schlucken und zu gehorchen, nicht aber so mit seinem Gegenüber in Kontakt zu treten, dass eine Beziehung entsteht. Er sagt nicht rechtzeitig seinem Vater, was er braucht, er setzt keine Grenze, er setzt sich nicht mit ihm auseinander, sondern explodiert und geht. Dies ist typisch für Menschen, die nicht gelernt haben, für sich zu sorgen, die in ihrer Kindheit von ihren Eltern nicht das Recht vermittelt bekommen haben zu spüren, was sie empfinden, was sie brauchen, was sie wollen. Wer dies in der Kindheit nicht leben darf, kann es zwangsläufig als Erwachsener nicht tun. Und wer dies nicht leben kann, wird sich genauso wie Jean-Claude unendlich schwer tun, eine nahe Beziehung zu führen, die natürlich von Meinungsverschiedenheiten, von unterschiedlichen Sichtweisen oder gar von Konflikten begleitet ist. Lernen wir in der Kindheit nicht, für uns zu sorgen und damit POSITIV mit uns in Kontakt zu sein und mit anderen zu kommen – so zeigt uns dieser berührende Film –, dann wird unser Leben traurig bis trostlos sein. Wir werden selbst der Pracht von Blumen und Pflanzen, dem Symbol von Fülle, nichts abgewinnen und werden sie – wie Jean-Claude dies tat – aus unserem Leben verdammen.

Die Fähigkeit mit Herausforderungen konstruktiv umzugehen, lernen wir in der Kindheit dadurch, wie unsere Eltern auf unsere Bedürfnisse, auf unsere Wünsche, auf unsere Eigenarten reagieren. Reagieren sie ablehnend oder gar strafend darauf, wie wir im letzten Kapitel sahen, so lernen wir von klein an, unsere Bedürfnisse abzulehnen. Wir haben dann kein Recht, sie zu äußern und zu ihnen zu stehen. Jean-Claude und Françoise sind hervorragende Beispiele dafür.

Das Entscheidende sind deshalb Verständnis, Wohlwollen und Liebe, die sich als Fürsorge äußern und in der Kindheit die Grundfürsorge schaffen.

Viele Eltern wundern sich, warum ihr(e) Kind(er) so eine starke Trotzphase haben und deren Pubertät so heftig ist. Wahrscheinlich haben sie auf deren Bedürfnisse in der Kindheit – ohne sich dessen bewusst zu sein – ähnlich schroff reagiert. Deshalb sind in der Erziehung Wohlwollen, Nachempfinden, Freude und Disziplin so wichtig.

SCHWARZE PÄDAGOGIK UND ANTIAUTORITÄRE ERZIEHUNG

Warum müssen wir dies heute überhaupt lernen? Weil wir alle in dem einen oder anderen totalitären Regime aufgewachsene Vorfahren haben, die so erzogen wurden, dass sie bereitwillig Kanonenfutter abgaben. So schreibt die Süddeutsche Zeitung (5.3.2012): *Die totalitäre Diktatur gibt sich nicht mit der Unterwerfung ihrer Bürger zufrieden oder mit deren Verzicht auf Widerstand und Opposition. Sie greift nach dem ganzen Menschen, von der Bahre bis zur Wiege, wie Joachim Gauck [der deutsche Präsident seit 2012] in seinen Erinnerungen in einer bewegenden Szene schildert. Geboren im Kriegsjahr 1940, war er ein Baby, das viel geschrien hat, weil es nicht genug zu trinken und zu essen bekam. Denn zu Hause wurde beherzigt, was ein NS-Erziehungsbuch vorschrieb: 'Liebe Mutter, bleibe hart! Fange nur ja nicht an, das Kind zu wiegen, zu tragen oder es auf den Schoß zu halten, es gar zu stillen.'*

Mit derart schwarzer Pädagogik erzogene Kinder werden selber hart – gegen sich und andere. Sie sind im Grunde nicht demokratiefähig, weil sie nicht fragen, ihre Meinung nicht äußern, ihre Gefühle nicht wirklich spüren geschweige denn ausdrücken können. Warum nicht? Weil sie nicht erlebt haben, dass sie jemandem wichtig waren. Wie viele Babys wurden – oder werden heute LEIDER noch – so lange schreien gelassen (am besten in einem fernen Zimmer verbannt), bis sie schmerzlich gelernt haben, dass ihr Schreien sinnlos ist – und sich deshalb „klaglos" an die von der Mutter vorgegebenen Zeiten halten?

Wie viele Patienten hatte ich, die diese Tortur durchgemacht haben und deshalb tief in ihrem Gefühl und Selbstwert verletzt waren.

In diesem Zusammenhang sollten wir uns genau überlegen, ob wir die Methode anwenden wollen, die in dem Buch *Jedes Kind kann schlafen lernen* von A. Kast-Zahn und H. Morgenroth vorgeschlagen wird. Sie empfehlen darin, Kinder jeden Tag etwas länger schreien zu lassen – bis zu 10 Minuten. Dies klingt zwar kurz, aber für die Kinder sind dies lange Minuten, in denen sie erfahren, dass niemand für sie sorgt. Dies ist problematisch, denn **Fürsorge erzeugt Selbstwert**, weil die Fürsorge der Eltern den Kindern vermittelt, dass sie WICHTIG sind. Diese Bedeutung baut Selbstwert auf. Sorgen die Eltern hingegen nicht für die Kinder, erfahren die Kinder, dass sie nicht wichtig sind. Dies hat eine entsprechend schwächende Auswirkung auf den Selbstwert und auf die Grundfürsorge der Kinder.

Matthias und Alexandra haben einen Sohn, Jonas, der als kleines Kind in vielen Nächten nicht oder nicht lange schlafen konnte. Matthias und Alexandra waren am Ende ihrer Kräfte angelangt. So entschieden sie sich, die Methode aus dem Buch *Jedes Kind kann schlafen lernen* anzuwenden. Aber es gelang ihnen nicht einmal, die erste Stufe – eine Minute – auszuhalten. Als sie vorzeitig zu ihm gingen und sahen, welche Panik in Jonas' Gesicht stand, wussten sie, dass dies kein gangbarer Weg für sie sein konnte. Da half ihnen das Glück, dass bei ihnen eine Frau wohnte, die Jonas gerne einige Nächte in der Woche bei sich schlafen ließ, da ihr das Aufgeweckt werden nichts ausmachte. Jonas ist inzwischen zu einem jungen Mann herangewachsen, der ein sehr gutes Selbstwertgefühl und eine entsprechend gute Grundfürsorge besitzt. Der Grund hierfür liegt darin, dass Jonas stets spürte, dass seine Eltern für ihn sorgten, dass er und sein Glück ihnen wichtig waren.

Nun haben viele Eltern, die sich in einer ähnlichen Situation wie Matthias und Alexandra befinden, weder das Glück, die passende Hilfe im Haus zu haben, noch die entsprechenden finanziellen Möglichkeiten, um sich gegen Bezahlung Hilfe zu holen. Für viele Eltern wird die im Buch *Jedes Kind kann schlafen lernen* beschriebene Methode vielleicht die einzige Möglichkeit sein, eine solch schwierige Zeit zu überstehen. Daher sage ich nicht, man solle diese Methode nicht anwenden. **Aber aufgrund der soeben beschriebenen Auswirkungen auf den Selbstwert und auf die innere Gewissheit „Es wird für mich gesorgt" halte ich es für wichtig, dass Eltern diesen Schritt möglichst lange vermeiden und sorgfältig prüfen, ob es noch andere Lösungen gibt, die ihrem Kind eine entsprechende Grundfürsorge vermitteln.**
Matthias und Alexandra fanden zur Lösung von Jonas' Schlafproblem zum Beispiel eine große Hilfe in der Osteopathie, denn durch seine schwere Geburt waren seine Halswirbel verschoben – was übrigens bei vielen Babys der Fall ist und zu unzähligen Problemen führt. Diese brachte eine hervorragende Osteopathin in Ordnung. Zudem half ihnen eine sehr gute Homöopathin, dass Jonas langsam seinen Schlafrhythmus fand.

Es ist so wichtig, dass wir zart und einfühlsam mit unseren Kindern umgehen. Denn wie die Liebe so ist auch die Zartheit eine große Kraft, die wir unbedingt erhalten müssen. Ich halte sie zusammen mit der Grundfürsorge für eine entscheidende Voraussetzung für private und berufliche Fülle.
Deshalb ist es ein Segen, dass zusammen mit dem entsetzlichen NS-Regime auch zum Teil die von ihm propagierte schwarze

Pädagogik zugrunde ging. Durch die Erkenntnisse der Psychologie und der modernen Pädagogik (vgl. v. Stepski: *Achtung ... mir selbst und anderen gegenüber*), veränderte sich der Erziehungsstil zum Besseren. Das heißt, die Bedürfnisse der Kinder rückten mehr und mehr in den Fokus der Aufmerksamkeit. Aber, wie so häufig, schlug das Pendel zuweilen ins andere Extrem aus.

Dies veranschaulicht für mich wunderbar der sehr kurzweilige Film *Sommer in Orange* von Regisseur Marcus H. Rosenmüller. Es geht hier um eine Kommune von „Sannyasins", den Anhängern des indischen Gurus Bhagwan Osho. Sie waren stets orange gekleidet und trugen eine Kette mit seinem Bild um den Hals. Die Kommune, um die es hier geht, lebte froh und ungestört in einem ziemlich heruntergekommenen Hinterhof in Berlin, bis sie sich entschloss, auf einen geerbten Hof in Talbichl in Bayern zu ziehen. Es geht dabei vornehmlich um die „selbstverwirklichungshungrige" Amrita, ihre beiden Kinder Lilli und Fabian und ihren Freund Siddharta. Das Besondere an dem Film ist nicht nur seine Leichtigkeit und Klugheit, sondern, dass er aus dem Blickwinkel der pubertären Lilli geschildert wird. Sie ist überhaupt nicht begeistert, dass sie, ohne auch nur einmal gefragt zu werden, aus ihrem Kiez und ihrer Schule gerissen und nach Bayern verfrachtet wird. Bezeichnend ist hier die Szene auf der Reise nach Talbichl, bei der sie ihren Unmut ausdrückt, der aber von ihrer Mutter einfach übergangen wird.

Es wird nun sehr gut der Zusammenprall der Kulturen geschildert. Und es wird deutlich, wie wenig Lillis Mutter für ihre Tochter da ist. Kein Einführen in die völlig andere Schulkultur in Bayern, keine Überlegung, ob es gut für ihre Kinder und deren Integration ist, wenn sie derart anders gekleidet herumlaufen.

Kein Wunder, dass Lilli dies ändert und sie sich jetzt so wie alle anderen Mädchen anzieht, um zusammen mit ihrem Bruder in einen der Vereine zu kommen. Ihre Mutter hilft ihr dabei nicht, sondern der frohe bayrische Postbote.

Ihre Mutter ist vielmehr so mit ihrer eigenen Selbstverwirklichung und dem Lösen alter Kindheitskonflikte beschäftigt, dass sie gar nicht merkt, dass für die Kinder nichts zu essen da ist.

Als dann der Obertherapeut Prem ankommt, um das „neue Therapiezentrum" einzuweihen, und er nach dem Gesetz der offenen Liebe eine Beziehung mit ihr vor den Augen ihres Partners Siddharta beginnt und zudem Amrita nach Oregon mitnehmen möchte, um das neue Osho-Zentrum aufzubauen, spitzt sich die Situation zu. Amrita ist von ihren Gefühlen und denen ihrer Kinder so abgeschnitten, dass sie ohne mit der Wimper zu zucken diesen offenbart, sie gehe mit dem großen Meister Prem nach Oregon und sie, die Kinder, kämen ins Internat nach England (keine kleine Veränderung!), denn, so Amrita, Osho habe gesagt, es sei besser, die Kinder würden ohne ihre Eltern aufwachsen, dann bekämen sie nicht deren Neurosen! Ja, nicht deren, aber möglicherweise schwerwiegendere andere – besonders, wenn sie ständig aus bestehenden Sozialgefügen herausgerissen werden.

Lilli fühlt sich nun von der Mutter regelrecht bedroht, flieht und wird von der Frau des Bürgermeisters mit nach Hause genommen. Diese hört ihr zu und empfindet sie nach. Das geht alles gut, bis ihr Mann, der Bürgermeister nach Hause kommt und Lilli rausschmeißen will. Da fühlt sich Lilli erneut bedroht und nutzt die negative Einstellung des Bürgermeisters der Osho-Kommune gegenüber, um diese bei ihm anzuschwärzen. Sie spricht von Rauschgift, von terroristischer Vereinigung. Das sind die Reizworte, die dem Bürgermeister die willkommene Gelegenheit geben, eine Razzia bei der ihm äußerst unbeliebten Gemeinschaft durchführen zu lassen.

Bemerkenswert sind nun einige Zwischensequenzen in dem Film: Lilli „verirrt" sich in den Laden des Dorfmetzgers und fragt nach Lebensmitteln. Der Metzger preist natürlich seine Ware an. Lilli als Vegetarierin möchte ein „normales" Geschäft genannt bekommen. Der Metzger findet sein Geschäft absolut normal. Als ihr das Lebensmittelgeschäft genannt wird, geht sie, und der Freund ihrer Mutter, Siddharta, kommt herein und verbündet sich mit dem Metzger, indem er heimlich Würste kauft.

In einer späteren Sequenz wird sein Beutel mit den Würsten entdeckt und er zur Rede gestellt. Er steht aber nicht dazu, sondern lügt, er sei es nicht gewesen, aber vielleicht die Lilli, die gerade vorbeikommt und natürlich widerspricht.

Nun findet die Razzia in der Kommune statt und alle werden abgeführt – um am nächsten Tag wieder auf freien Fuß gesetzt zu werden. Da packt Lilli die Reue und sie kommt zurück in die Kommune und gesteht, dass sie es war, die ihnen die Polizei insofern auf den Hals hetzte, als sie so schlecht beim Bürgermeister über sie sprach.

Hier geschehen zwei sehr wichtige und gut beobachtete Dinge: Erstens kann Lilli im Gegensatz zu Siddharta zu ihren Fehlern stehen und zweitens wird sie dafür von niemandem bestraft, geschweige denn geschlagen. Das zeigt der Film sehr anschaulich: Diese Form der Toleranz und freien Erziehung hat ihre Schwächen, wenn es um Fürsorge und Nachempfinden geht – also darum, dass die Mutter keine Abstriche an ihrem Egoismus macht und nicht schaut, was ihre Kinder brauchen. Ganz davon abgesehen, dass der Vater überhaupt nicht da ist, weil er – so Lilli – bei Greenpeace für eine bessere Welt kämpft. Dieser Egoismus, die Unordnung, die chaotischen Beziehungen und die mangelnde Struktur sind mit Sicherheit Schwächen dieser Erziehung.

Die Stärken liegen aber darin, dass die Kinder sehr früh für sich einstehen müssen, mit Idealen aufwachsen und zu sich und ihren Fehlern stehen können.
Deshalb macht *Sommer in Orange* klug deutlich, dass weder ein zu viel an Konservativismus, verkörpert im Bürgermeister, noch zu viel Laisser-faire (alles durchgehen lassen) gut für Kinder sind. Kinder brauchen ganz gewiss Freiheit und auch Offenheit. Sie brauchen aber auch Sicherheit, klare Strukturen, Fürsorge und ein starkes Engagement der Eltern, die sich für ihr Wohl und ihre Entwicklung einsetzen. Sie brauchen Eltern, die sich nicht einfach absetzen, wie Lillis und Fabians Vater dies tut, oder immer innerlich abwesend sind, wie deren Mutter. Kinder brauchen Ordnung – und die beginnt damit, dass Eltern nicht ständig mit irgendetwas anderem beschäftigt sind, sondern sich ganz auf ihre Kinder und deren Bedürfnisse einlassen, denn diese erleben dieses Sich-Beschäftigen ihrer Eltern mit ihnen als Fürsorge und das baut bei ihnen Selbstwert auf. Diese beiden: Fürsorge und Selbstwert führen zu innerer und äußerer Gelassenheit. Das heißt, Menschen reagieren auf die Herausforderungen des Lebens überlegt, ruhig und damit adäquat. Kein Wunder, dass die kluge österreichische Schriftstellerin Marie von Ebner-Eschenbach (1830-1916) sagt: *Die Gelassenheit ist eine anmutige Form des Selbstbewusstseins.*

FREIHEIT UND DISZIPLIN

Freiheit und Disziplin sind die beiden Antipoden, zwischen denen sich Erziehung bewegt.
Ho mè daraìs ánthroopos ou paideúetai – *der nicht geschundene Mensch wird nicht erzogen.* Das war die Vorstellung von Erziehung und Disziplin bei den alten Griechen. Bei den Spartanern war der Drill besonders stark, denn es ging hier primär darum, unschlagbare Soldaten heranzuziehen. Das waren sie, die Spartaner: unschlagbar. Man denke nur, was sie in der Schlacht bei den Thermopylen geleistet haben. Waren sie aber

glücklich? Hat es sich gelohnt, die zu Erziehenden so zu schinden? Hat sich diese martialische Disziplin ausgezahlt?

Seitdem sind mehr als 2200 Jahre vergangen, und immer wieder gab es Staatsformen, die versuchten, durch besonders disziplinierte und harte Erziehung vornehmlich Männer für den Militärdienst auszubilden. Besonders kurz war der Erfolg des so genannten tausendjährigen Reiches. Wie wir sahen, versuchten auch die Nazis durch besonders harte Erziehung, Menschen zu willigen Mitläufern zu machen. Dieses Regime war nur zwölf Jahre an der Macht, hat aber Millionen Menschen das Leben gekostet. Es hat aber bewirkt, dass wir heute – besonders in Deutschland – sehr vorsichtig sind, wenn es um einen autoritären Erziehungsstil geht.

Vorsicht ist gut. Ist es aber unser Erziehungsstil ebenfalls?

Und er ist vielleicht etwas selbst reflektierter, als es der Zen-Meister in der folgenden witzigen Zen-Geschichte ist:

Der Schüler Wu Liao trat in ein „Zen Schweigekloster" ein und der Meister sagte ihm: „Bruder Wu Liao, dies ist ein Schweigekloster. Du bist hier herzlich willkommen. Du kannst solange hier bleiben, wie du möchtest, aber du darfst nicht reden, außer ich gebe dir die Erlaubnis."

Wu Liao lebte ein ganzes Jahr in dem Kloster, bis der Meister ihm sagte: „Bruder Wu Liao, nun bist du seit einem Jahr hier. Jetzt kannst du zwei Worte sagen. Da antwortete Wu Liao: „Hartes Bett". „Das tut mir leid zu hören", erwiderte der Meister, „wir geben dir sofort ein besseres Bett."

Ein Jahr später wurde Wu Liao wieder zum Meister gerufen und erneut sagte der Meister: „Heute kannst du wieder zwei Worte sagen, Wu Liao."

„Kaltes Essen", sagte dieser und der Meister versicherte, dass in Zukunft das Essen besser sei.

In seinem dritten Jahr im Kloster rief der Meister erneut Wu Liao in sein Büro und sagte: „Du kannst zwei Worte sagen."

„Ich gehe", antwortete Wu Liao.

"Das ist auch besser so", erwiderte der Meister, *"denn du hast in den Jahren nichts anderes getan, als uns mit deinen ewigen Beschwerden auf die Nerven zu gehen!"*

A) LOB DER DISZIPLIN

Bernhard Bueb schrieb 2006 ein Buch mit dem Titel *Lob der Disziplin – eine Streitschrift*. Ich finde, dass er einiges aufgreift, was wichtig und nachdenkenswert ist. Über anderes aber kann man wirklich streiten.

Er definiert Disziplin folgendermaßen (S. 18): *Disziplin setzt an die Stelle des Lustprinzips das Leistungsprinzip: jede Einschränkung ist erlaubt oder sogar geboten, die dem Erreichen eines gesetzten Zieles dient. Disziplin beginnt immer fremdbestimmt und sollte selbstbestimmt enden, aus Disziplin soll immer Selbstdisziplin werden. Disziplin in der Erziehung legitimiert sich nur durch Liebe zu Kindern und Jugendlichen.*

Diese Definition von Disziplin finde ich schwierig, weil sie mich an die schwarze Pädagogik erinnert. Diese sagte auch: „Im Grunde möchte ich dich nicht schlagen, da es aber das Beste für dich ist, tue ich es". Bernhard Bueb sagt zwar deutlich, dass er gegen das Schlagen ist, aber seine Definition von Disziplin öffnet der Willkür Tür und Tor. Wie weit das geht, darauf komme ich später noch zu sprechen. Hier geht es mir erst einmal um das Ziel von Erziehung beziehungsweise Disziplin. Was will ich zum Beispiel als Elternteil erreichen? Setze ich Disziplin ein, damit mein Kind erfolgreich wird, glücklich ist und bleibt oder Selbstwert aufbaut – oder alle drei erreicht? Hier schließt sich sogleich eine weitere Frage an: Soll die Disziplin mir, dem Erziehenden, oder dem Kind beziehungsweise dem Jugendlichen helfen? Oder uns beiden?

Bueb spricht nicht ein einziges Mal von **Selbstverantwortung** und von **Mitgefühl**. Stattdessen führt er Frankreich, England, die USA und China als Staaten an, die positiv mit Disziplin

umgehen. Den Deutschen attestiert er ein gebrochenes Verhältnis zur Disziplin. Er geht sogar so weit zu fordern: *Bereits im ersten Lebensjahr sollten Mütter ihre Babys Kinderkrippen anvertrauen dürfen, es sollte flächendeckend Kindertagesstätten geben und natürlich Kindergärten* (S. 139 f).
Die Franzosen, die er lobend hervorhebt, tun genau dies. Babys werden so früh wie möglich in Kinderkrippen getan. Und was ist das Ergebnis? Franzosen haben erstens erstaunlich wenig Mitgefühl für Tiere (man sehe sich hierzu den Film *Babettes Fest* von Gabriel Axel an) und zweitens die höchste Selbstmordrate unter Jugendlichen in Europa. Warum? Weil die Kinder kein stabiles Urvertrauen (s.o.) und keine sichere Grundfürsorge aufbauen können. Der enge Kontakt zwischen Mutter und Kind ist in den ersten drei Jahren von entscheidender Bedeutung. Das Kapital an emotionaler Stabilität, das Kinder in dieser Zeit besonders von ihrer Mutter bekommen, ist zu einem späteren Zeitpunkt kaum noch, wenn überhaupt, aufzubauen.

Außerdem ist es von größter Bedeutung, dass Kleinkinder erst dann in eine Krippe oder einen Kindergarten gehen, wenn sie über das Erlebte mit ihrer Mutter REDEN können, denn nur so können sie das Erlebte verarbeiten.

An noch etwas sollten wir unbedingt denken: Kinder lachen bis sie eingeschult werden 400 Mal am Tag. Ist es nicht unsere Aufgabe als Eltern, Lehrer, Erzieher, diese Fähigkeit zu lachen so weit wie irgend möglich zu erhalten?

Bernhard Bueb steht der Psychologie, wie er in seinem Buch immer wieder betont, sehr kritisch gegenüber. Das muss nichts Schlechtes sein. Es darf uns aber nicht entscheidenen Erkenntnissen der Psychologie gegenüber verschließen. So gibt es genügend Studien, die sich damit auseinandersetzen, wie Kinder sich fühlen, die früh von ihrer Mutter getrennt werden und wie sich dagegen Kinder entwickeln, die eine ungestörte

Symbiose mit ihrer Mutter leben dürfen (vgl. dazu in Kap. 8 das Beispiel von Bastian und Olivia.)

Natürlich gibt es den Psychologismus, d.h. dass Psychologie ihre Grenzen nicht kennt und deshalb auch überschreitet. Ich bin mit dem Autor einer Meinung, wenn er meint, psychologische Diskussionen seien auf Dauer nicht zielführend, wenn man es zum Beispiel mit Drogenproblemen zu tun hat. Hier kann sich ein Internat – Bernhard Bueb war von 1974 bis 2005 Leiter der Internatsschule Schloss Salem – nicht leisten, stundenlang herum zu analysieren, anstatt klar und unmissverständlich durchzugreifen. Ich halte es daher für absolut angemessen, dass Schüler und deren Eltern bereits beim Aufnahmegespräch gewarnt werden, dass jeder Schüler, der positiv auf Drogen getestet wird, die Schule verlassen muss.

B) WAS IST DER MAßSTAB?

Wie gesagt, findet dieser erfahrene Schulleiter die Erziehungsform in Frankreich, England, den USA und China eindeutig besser als in Deutschland. Er schreibt (S. 65 f), dass Eltern aus besagten Ländern von einem Internat erwarteten, „dass ihr Kind eine gute Erziehung genieße. Es sollte sich auch wohl fühlen; wenn es das nicht tat, dann war das bedauerlich, aber nicht zu ändern. Deutsche Eltern wollen natürlich auch eine gute Erziehung, aber vor allem soll sich das Kind wohlfühlen. Strenge Maßnahmen werden nur solange akzeptiert, wie sie das Wohlgefühl des Kindes nicht stören. (…) Die sehr narzisstisch gefärbte Anspruchshaltung vieler Kinder und Jugendlicher ist eines der großen pädagogischen Ärgernisse der letzten Jahrzehnte."

Was hat sich da Bernhard Bueb für Länder ausgesucht! Über Frankreich sprachen wir schon, England und China, die hier erwähnt werden, und die USA, die er immer wieder anführt, wollen wir nun beleuchten.

Der Autor betont immer wieder, wie sehr das englische Erziehungsmodell dem deutschen überlegen ist. Ist es das wirklich? Was ist das Ergebnis? Ich finde, die Deutschen haben aus beiden Weltkriegen unendlich viel gelernt und eine hervorragende Demokratie aufgebaut. Aber nicht nur das: Sie sind eindeutig die Lokomotive in Europa, aber trotzdem absolut team- und konsensfähig. Sind es die Briten? Haben sie einen Weg nach Europa gefunden? Bueb spricht vom deutschen Narzissmus, aber wie schaut es mit dem britischen aus? Ist es ein Zeichen von geglückter Erziehung und damit von sozialer Kompetenz, wenn man zu jeder Integration Nein sagt? Sind die Briten ein Segen für Europa? Und ihre großen Brüder, die Amerikaner, sind sie ein Segen für die Welt? Wie war das mit dem Koreakrieg, Vietnamkrieg, Afghanistankrieg und – besonders schrecklich, verlogen und sinnlos – dem Irakkrieg? Außerdem: Wer hat die Welt finanziell vergiftet und Millionen Menschen arm gemacht? Hat sich da die Erziehung bewährt?

Bernhard Bueb spricht lobend davon, dass im Englischen – und natürlich auch im US-amerikanischen – auf Aufforderungen von Lehrern und Erziehern mit „Yes, Sir" (S. 78) geantwortet werde. Deutsche Schüler dächten gar nicht daran, so zu antworten, sondern reagierten mit einem schwammigen „gleich" oder mit „ich muss aber". Englische Erzieher erlebten dies als „unbotmäßiges Verhalten und Anfang von ‚Anarchie'" (S. 79). Ich sage dazu: Ja, es stimmt, dieses häufige „gleich" oder „ich muss aber" ist häufig sehr nervig und vielleicht wirklich eine Schwäche der deutschen Erziehung. Aber ich bin hier absolut pragmatisch: Sowohl England als auch China haben sich in die entsetzliche Allianz gegen den Irak verwickeln lassen. Deutschland und sein enger Nachbar Frankreich haben sich dem widersetzt. Deswegen mussten sie viel Unangenehmes von Seiten der Amerikaner erdulden. Dieser von der UNO nicht genehmigte Krieg hat ca. 4500 US Soldaten und an die 200 britischen Soldaten das Leben gekostet. Hat diese hochgelobte „Yes-Sir-Erziehung" sich als Garant für Frieden, für Glück, für Mitgefühl, für Klugheit erwiesen? Hat George W. Bush die Quittung für sein wahnsinniges Verhalten bekommen? Ist er nicht wieder gewählt worden? Haben die Amerikaner verstanden, was er ihnen und weit mehr als 180.000 getöteten Irakern angetan hat? Mitnichten! Er wurde wieder gewählt, obwohl er so vielen Menschen das Leben gekostet und die amerikanische Wirtschaft hoch verschuldet zurückgelassen hat. WO IST DA EIN SINN FÜR DIE FÜRSORGE FÜR ALLE BETEILIGTEN?

Da lobe ich mir doch die möglicherweise etwas „laschere" Einstellung der Deutschen, wenn sie bewirkt, dass wir uns nicht in einen derartig verbrecherischen Krieg hineinziehen lassen, sondern uns klar dagegen positionieren.

c) GORDONSTOUN

Nun ist es so, dass Bernhard Bueb das schottische Internat Gordonstoun als DAS Beispiel für ideale Erziehung von Kindern und Jugendlichen darstellt.
Er schreibt das so überzeugend, dass ich das ohne Umschweife glauben würde, wenn unser Sohn nicht dort gewesen wäre. Von vernünftiger Erziehung habe ich dort wenig mitbekommen. Das Zimmer, in das unser Sohn kam, war derartig unordentlich, dass ich mehrere Dinge vom Boden und vom Stuhl wegnehmen musste, damit wir gehen und ich mich hinsetzen konnte. Die versprochene Einführung und Begleitung unseres Sohnes in ein völlig neues Schulsystem fand nicht statt. Stattdessen kam unser Sohn damals das erste Mal und zudem massiv mit Alkohol, Zigaretten und Filmen in Kontakt, die wir ihm nie erlaubt hätten. Außerdem war weder den Erziehern noch den Lehrern aufgefallen, dass einige Schüler andere heftig mobbten. Unser Sohn wurde sowohl schulisch als auch sportlich so wenig gefördert, dass wir diese Schule absolut sinnlos

fanden und gut verstanden, dass Prinz Charles sich dort miserabel fühlte.

So lässt mich diese unmittelbare Erfahrung in diesem schottischen Internat am Sinn und Zweck von der im *Lob der Disziplin* nicht hinterfragten Disziplin zweifeln. Und wenn der Autor schreibt (S. 52), in Gordonstoun sei es bis Ende der siebziger Jahre Usus gewesen, „dass der Schulleiter Jungen, die geraucht hatten, sechs Stockschläge verabreichte", dann wird mir recht unwohl, und ich denke an den hervorragenden Film *Der Club der toten Dichter*, in dem all diese Praktiken und deren seelische Konsequenzen für die Schüler deutlich dargestellt werden.

Ich war selbst von 1965 bis 1970 im Internat und habe dort das Rauchen begonnen. Nun stelle ich mir vor, wie es für mich gewesen wäre, wenn ich deswegen vom Internatsleiter jedes Mal, wenn ich erwischt wurde, sechs Stockschläge bekommen hätte? Und ob ich es je erlaubt hätte, dass dies unserem Sohn angetan würde? Die klare Antwort ist: Niemals. Und ich bin meinen Eltern sehr dankbar dafür, dass sie mich nicht in dieses Internat steckten.

Wie sagte der Autor? Den Franzosen, den Engländern und den Chinesen sei es nicht wichtig, ob ihre Kinder sich im Internat wohl fühlten, wichtig sei, dass sie Disziplin lernten. Unter dem Gesichtspunkt der Stockschläge, die ich in Gordonstoun erhalten hätte, bekommt das Ganze für mich noch eine ganz andere und sehr unangenehme Dimension. Und von Fürsorge ist hier ja wirklich keine Rede!

D) Freiheit, Disziplin und Fürsorge

Diese Form der Erziehung ist – Gott sei Dank! – Vergangenheit. Trotz der weiter oben geäußerten Kritik an Gordonstoun bin ich der Meinung, dass unser Sohn dort in vielerlei Hinsicht

liebevoll und respektvoll behandelt wurde. Und so sollten wir, auch wenn das „Yes, Sir" nicht nach unserem Geschmack ist, über die „Inflation" von „gleich" und „ich muss aber" nachdenken.
Wir müssen uns hier als erstes über den Begriff Freiheit klar werden.

Viele Menschen – und nicht nur Jugendliche! – verstehen Freiheit als Freiheit VON. D.h.: Sie wollen keine Einschränkung. Im Grunde wollen sie tun und lassen können, was sie wollen. Die große Herausforderung von Erziehung ist nun, Menschen klarzumachen, dass die Freiheit tun und lassen zu können, was man will, SINNLOS ist. Denn es hilft gar nichts, dass ich die Freiheit habe, DAS FALSCHE zu tun. Fürsorge bezüglich des Begriffs Freiheit bedeutet deshalb, Menschen klarzumachen, dass **ihre erste Aufgabe darin besteht herauszufinden, was ihnen wirklich gut tut.** Wissen sie das nicht, dann bringt ihnen Freiheit gar nichts, sondern ist eher schädlich als nützlich. Denn was nützt es mir, wenn ich die Freiheit habe, mit einem Hechtsprung in einen Tümpel zu springen, wenn ich danach mein Leben lang vom Hals abwärts gelähmt bin? Was nützt es mir, wenn ich mir die Freiheit nehme und in Florida jemanden ermorde, der mir in die Quere kommt und ich anschließend 20 Jahre im Gefängnis sitze und dann auch noch hingerichtet werde? Was nützt es mir, wenn ich, wie jemand den ich kannte, mir mühsam das Rauchen angewöhne, weil ich glaube, man müsse das tun, und sterbe dann an Lungenkrebs?
Wir müssen deshalb einsehen: Freiheit von allen Zwängen, um tun und lassen zu können, was man will, ist ein wenig hilfreiches Verständnis von Freiheit, da es, wie wir sahen, zudem höchst gefährlich sein kann.

Freiheit VON ist nur sinnvoll in der Verbindung mit Freiheit FÜR. Es ist wunderbar, wenn ich frei bin von – zum Beispiel von den Zwängen, im Gefängnis sitzen zu müssen –, um dadurch die Freiheit FÜR eine sinnvolle Tätigkeit leben zu können.

Und genau dies ist die Fürsorge, die wir in der Erziehung den uns Anvertrauten zukommen lassen müssen: Wir müssen ihnen erst einmal klarmachen, dass es einen Unterschied gibt zwischen Freiheit VON und Freiheit FÜR. Und zweitens müssen wir ihnen helfen herauszufinden, was dieses FÜR bedeutet. Was ist ihr Lebensziel? Was wünschen sie sich von ganzem Herzen? Wofür brennen sie? Was sehen sie als Sinn ihres Lebens an? Wo finden sie ihr Glück? Was baut bei ihnen Selbstverantwortung und damit Selbstwert auf?
Genau dies verstehe ich unter Fürsorge.

E) „GLEICH", „ICH MUSS ABER NOCH"

Hier müssen wir wieder von dem bereits erwähnten „gleich" und „ich muss aber noch" sprechen. Wir hatten auch Zeiten, in denen bei uns etwas Ähnliches wie „Yes, Sir" galt. Damals wurde mit „Jawohl!" geantwortet. Diesen Kadettengehorsam wollen wir nicht mehr. Absolut zu Recht, denn er entmündigt Menschen, nimmt ihnen ihre Würde und bringt sie um ihre Selbstverantwortung mit entsprechenden, zum Teil entsetzlichen Folgen.
Wir sind aber ein bisschen zu weit in die andere Richtung gekommen. Jugendliche und selbst Kinder können in einem Maße mitbestimmen und diskutieren, das nicht mehr gut ist.
Ja, wir wollen Menschen heranziehen, die glücklich und frei sind und zudem auch mutig zu ihrer Meinung stehen. Ist es aber richtig, dass es nun nur noch um die Freiheit der Heranwachsenden geht? Und wie steht es mit der Freiheit der Erwachsenen? Müssen sie jedes wichtige Anliegen zur Diskussion stellen? Muss man stundenlang diskutieren, bis ein Zimmer aufgeräumt wird? Hat ein Pubertierender das Recht, eine große Portion Egoismus leben zu dürfen, weil dies für seine Entwick-

lung ja so wichtig ist? Müssen Kinder nicht mehr Bitte und Danke sagen und brauchen sie Erwachsene auch nicht mehr zu grüßen? Und dürfen die Tischmanieren absolut zu wünschen übrig lassen?
Enden wir vielleicht ähnlich wie der Mann in dem Witz, der von seinem Freund gefragt wird, wie es ihm jetzt mit seiner Tochter geht? „Danke der Nachfrage! Gut!" antwortet dieser. „Als meine Tochter in die Pubertät kam, machte sie mir klar, dass dies die Zeit sei, in der die ELTERN schwierig werden. Deshalb machte ich eine Therapie, die mir sehr half, und jetzt gehorche ich ihr aufs Wort!"

Das bedeutet: Fürsorge an dieser Stelle besteht darin, dass Eltern freie und achtsame Erziehung nicht mit Laisser-faire verwechseln. Heranwachsende haben NICHT das Recht, tun und lassen zu können, was sie wollen. Sie haben in den meisten Fällen ihren Eltern und der Gemeinschaft, in der sie leben, unendlich viel zu verdanken. Natürlich gibt es Kinder, die schrecklich behandelt werden und deren Aufstiegschancen in der Gesellschaft absolut begrenzt sind. Bei ihnen verstehe ich, wenn sie eine kritische Haltung ihren Eltern und der Gesellschaft gegenüber haben. Ich beobachte aber, dass besonders Kinder, denen es sehr gut geht, einen großen Egoismus und wenig Achtung ihren Eltern gegenüber an den Tag legen. Ich finde, hier ist etwas schief gegangen. Den Selbstwert eines Kindes zu fördern, seine Freude zu erhalten, bedeutet NICHT, dass es niemanden grüßt, auf niemanden Rücksicht nimmt und einfach tut, was es will. Hier werden Freiheit, Selbstachtung und Fürsorge völlig falsch verstanden.

Wir sollten uns unbedingt vor Augen führen, dass zur Fürsorge auch gehört, dass ich dafür sorge, dass andere für mich sorgen. Viele Jugendliche heute denken primär nur an sich, da ist das Denken an andere absolut unterentwickelt.

Hier ist deshalb etwas schief gegangen, weil es keine Fürsorge, sondern nur ein wenig hilfreicher Egoismus ist. **Wenn jemand nur an sich denkt und nur „für sich sorgt", dann sorgt er in Wahrheit auch nicht für sich.** Dieses „für sich sorgt" setze ich deshalb in Anführungszeichen, weil Egoismus auf lange Sicht keine Fürsorge, sondern nicht Fürsorge und damit wenig hilfreich ist. Deshalb ist das Ziel von Erziehung Charakter und der impliziert die Fähigkeit, gut für sich selber und für andere sorgen zu können.

Wie gefährlich dies sein kann erläutert folgendes Beispiel: Der 17jährige Constantin wollte zusammen mit seinen Freunden etwas unternehmen. So bat er, ob sie zu viert mit der A-Klasse seiner Mutter erst in Frankreich herumfahren und dann auch noch ein paar Tage in Paris verbringen dürften. Fahren wollte der eine von ihnen, der 19 war und einen Führerschein hatte. Alle Eltern erlaubten das. Sein Vater erlaubte es nicht, denn er kannte sowohl Paris als auch den Zustand des in die Jahre gekommen Wagens seiner Frau. Constantin fand dieses Verbot nicht nachvollziehbar und ärgerte sich, was aus seiner Sicht absolut verständlich ist, denn er dachte an das Abenteuer mit den Freunden und nicht an die möglichen Gefahren, die er gar nicht einschätzen konnte, da er sie nicht kannte. Deshalb ist seine Reaktion auf das Verbot seines Vaters im Grunde nur folgerichtig. Denn das Problem von vielen von uns – und nicht nur von Jugendlichen! – ist: Wir hören mehr auf das Drängen, das unsere Wünsche erfüllen will als auf unsere Vernunft, die uns vor den möglichen Gefahren und Konsequenzen warnt.

Weil sein Vater aber bei dem Verbot blieb, schlug Constantin nun vor, wenn sie nicht nach Frankreich und Paris dürften, dann wollten sie nach Venedig fahren. Auch dies verbot sein Vater, denn er fährt seit langem mehrfach im Jahr dorthin und weiß deshalb, wie gefährlich die Strecke allgemein besonders aber die zwischen dem Brenner und Bozen ist. Constantin

ärgerte sich, denn die Eltern seiner drei Freunde erlaubten auch diese Fahrt, nur er hatte einen Vater, der „alles verbietet". Sein Vater gab aber nicht nach, sondern bot ihnen vielmehr finanzielle Unterstützung für den Kauf von Bahntickets an. So fuhren sie mit der Bahn und kamen heil wieder zurück.
Das wäre mit dem Wagen von Constantins Mutter dagegen nicht gewährleistet gewesen, denn wenige Zeit später blieb sie damit liegen, weil sowohl die Lenkung als auch das ABS-System kaputtgegangen waren. Kann man sich vorstellen, was geschehen wäre, wenn dies auf der kurvenreichen Autobahn nach Italien passiert wäre?
Ich denke, dies ist ein gutes Beispiel dafür, WIE WICHTIG Grenzen – und auch Verbote! – sind, und dass Eltern niemals Freiheit und Wunscherfüllung höher als Vernunft und Vorsicht stellen sollten – denn nur die letzteren zwei sind Fürsorge!

F) DIENSTE

Bernhard Bueb weist absolut mit Recht darauf hin, dass das Verrichten von Diensten für die Entwicklung der Kinder und damit auch für die Gemeinschaft von großer Bedeutung ist. In dem Internat, das er leitete, waren diese Dienste verpflichtend geregelt. Ich halte dies für eine sehr kluge Haltung. Menschen müssen früh lernen, dass anderen zu helfen, eine große Quelle für Glück ist.
In den früheren Großfamilien war es selbstverständlich, dass alle mithalfen. So weiß ich von einer Großfamilie, wo jeden Sonntag zwei Kinder den Tisch zu decken hatten. Sie mussten an alles denken. Vergaßen sie etwas, dann waren sie am nächsten Sonntag wieder dran. Das war eine Regelung, die einvernehmlich getroffen worden war, und die alle Kinder als sportliche Herausforderung ansahen.
In dieser Familie war es auch selbstverständlich, dass sich alle um jemanden kümmerten, der krank war. So fand es auch die 16-jährige Enkelin völlig normal, dass sie eine Zeit lang ihren

kranken Großvater pflegte. Und wie fand sie diese Zeit? Sehr erfüllend.

Kinder und Jugendliche müssen sehr früh lernen, dass eine der entscheidenden Aufgaben im Leben ist, für andere da zu sein. Und dass dies für viele die Quelle von stabilem Glück ist.
Außerdem ist Dienst am Nächsten das beste Mittel gegen Egoismus.
Genauso wichtig ist das Aktivsein in einer sportlichen Gemeinschaft, in der jeder die Aufgabe hat herauszufinden, was das Beste für alle ist. Und nicht, dass er „sein Ding" macht.
Ganz ähnlich ist das Spielen in einer Theateraufführung. Auch hier muss jeder in seinem Tun die anderen mit bedenken. Es macht wenig Sinn, wenn einer seinen Text herunter leiert, ohne seinen Mitspielern die Chance zu ihrem Einsatz zu geben. Wer sich so in einem Theaterstück benimmt, wird nicht weit kommen und weder sich noch anderen Freude bereiten.
Wer dagegen für sich und für andere und zudem dafür sorgt, dass das Ganze gut abläuft, wird gemocht, geachtet und hat eine seinem Einsatz entsprechend wichtige Funktion. Denn das Gesetz lautet: Je mehr ich mich für andere einsetze, desto mehr werde ich geachtet. Mahatma Gandhi beziehungsweise Albert Schweitzer werden heute noch so sehr geachtet, weil sie so viel für die Menschen getan haben.

Deshalb müssen Kinder und Jugendliche früh lernen zu dienen. Aus diesem Grund geht es mir im Rahmen der Fürsorge viel weniger um Disziplin als um das Dienen. Disziplin und auch Selbstdisziplin können – und die Vergangenheit liefert leider genügend Beispiele dafür – für rein egoistische Zwecke verwendet werden. Dienst am Nächsten hat hier eine ganz andere Zielsetzung. Hier geht es darum, anderen zu helfen, anderen das Leben leichter zu machen, ihnen eine Freude zu bereiten. Dies ist erfüllende Menschlichkeit. **Dies ist das sinnvolle Ziel von Erziehung, die geglückte Verbindung von Fürsorge für**

mich und andere. Dies ist Freiheit für... für mich und andere!
Deshalb ist Disziplin ohne Freude sinnlos. Disziplin, damit jemand erfolgreich wird, ist ebenfalls sinnlos, wenn damit die Freude verloren geht. Ein Kind lacht, wie gesagt, noch 400 Mal am Tag. Wie viel lässt Disziplin davon übrig? Ist diese Form der Erziehung jene, die Wilhelm Reich meinte, als er sagte: *Wir werden als Genies geboren und sterben durch Erziehung als Vollidioten?*
Deshalb müssen Erziehung, Disziplin und „Freiheit von" beziehungsweise „Freiheit für" immer darauf achten, dass die Freude nicht auf der Strecke bleibt. Denn nachweislich bringt Erfolg im Beruf häufig mehr Stress als Erfüllung. Sollte dies das Ziel von Disziplin beziehungsweise von Erziehung sein? Mit Sicherheit nicht. Und was sagte Prinz Harry von England, der in Dimensionen lebt, von denen andere nicht einmal träumen? *Das größte Glück erlebe er, wenn er mit armen Kindern in Afrika sei.* Welch eine Aussage von einem Menschen, der mit so unendlich viel gesegnet ist.

Ganz Ähnliches vermittelt der in meinen Augen geniale Film von Woody Allen *Alice*, den ich deshalb bereits in meinem Buch *Fülle* zitierte, in dem es die Hauptdarstellerin Alice (Mia Farrow) aus der leeren Society-Welt New Yorks zu Mutter Theresa nach Kalkutta zieht.
Dienst am Nächsten ist auch deshalb so wichtig, weil er eine wunderbare Einübung in Partnerschaft ist. Denn was zeichnet Paare aus, die lange glücklich zusammen leben? Dass sie in der Lage sind, ihre eigenen Interessen mit denen des Partners in Einklang zu bringen oder ihre eigenen zuweilen sogar zurück zu stellen. Das gemeinsame beziehungsweise das Glück des anderen ist ihnen wichtiger als das eigene, denn das Glück des anderen macht sie glücklich. Das ist für mich geglückte Erziehung: Wenn wir zu sinnvoller Fürsorge gelangen, denn sie macht BEIDE glücklich.

G) STRAFEN ODER KONSEQUENZEN?

Bernhard Bueb spricht in seinem Buch häufig über Strafen. So schreibt er (S. 115 f) von drei Schülern, die nachts aus dem Internat Salem ausgestiegen, in eine Disco gegangen waren und dort Alkohol getrunken hatten. Deswegen standen sie dann vor „Gericht" und es wurde nach einer gerechten Strafe gesucht. Diese lautete dann: Sie mussten drei Tage nach Hause fahren, um sich mit ihren Eltern auseinanderzusetzen, außerdem musste jeder von ihnen 15 Stunden dem Hausmeister helfen (S. 116). Ob diese Strafe angemessen ist oder zu hoch, darüber kann man diskutieren. Was für mein Dafürhalten aber gar nicht geht, ist, dass der Autor diese drei Jungs „Delinquenten" nennt.
Das macht für mich deutlich, wie gefährlich der Begriff Strafe ist, denn offensichtlich machte er aus Jugendlichen Delinquenten.

Wie gesagt, war ich selber im Internat. Und nicht nur in einem, sondern in drei. In allen dreien bin ich „ausgebüxt". Ich hatte das Glück, nie erwischt zu werden. Drei Tage nach Hause geschickt zu werden, hätte ich nicht so schlimm gefunden. 15 Stunden dem Hausmeister zu helfen, hätte ich sogar interessant gefunden. Wäre ich aber als Delinquent bezeichnet worden, hätte mich das empört. Was ist das für ein Denken, was ist das für eine Welt, in der Jungs, die natürlich Streiche spielen müssen, als Delinquenten bezeichnet werden?
Was ist das für ein Denken? So klug ich Bernhard Bueb in vielem finde, so sehr erschreckt mich doch einiges. So schreibt er einige Seiten nach dieser „Delinquentengeschichte" über das Salem der Vorkriegszeit und der ersten Nachkriegsjahre (S. 121). Hier hebt er absolut lobend hervor, dass in dieser Zeit, de facto der NS Zeit, Schüler nicht abgeschrieben haben. Die Lehrer konnten sich derart darauf verlassen, dass sie sogar das

Klassenzimmer verließen. Diese Schüler sind für den Autor der Maßstab.

Wir dagegen erinnern uns, was ich weiter oben bezüglich der Erziehungsempfehlungen der Nazis zitierte: Mütter sollten knallhart mit ihren Kindern sein – kein Auf-den-Arm-Nehmen, kein Trösten, kein Stillen. Außerdem war Strafe natürlich absolut angesagt. Wie lautet heute noch der wahnsinnige Spruch der Zeugen Jehovas? „Liebst du dein Kind, züchtige es". Kein Wunder, dass Kinder, die so erzogen werden, nicht spicken. Ist das aber wünschenswert? Und in welche Rolle komme ich, der ich nicht spicken lasse? Wie ist es, wenn zum Beispiel jemand in meiner damaligen Klasse unbedingt eine Mathematikprüfung bestehen musste, weil er sonst von der Schule hätte gehen müssen? Ist es dann eine Heldentat, ihm nicht zu helfen? Oder ist es nicht vielmehr ein Akt der Fürsorge, der Freundschaft, sogar des Klassenzusammenhalts, alles dafür zu tun, dass er es schafft? Ganz anders als die beschriebenen Schüler in Salem in der Vor – beziehungsweise Nachkriegszeit haben wir alle zusammengehalten und bedingt, dass einige Schüler das Klassenziel erreichten. Und was geschah dadurch? Sie waren so motiviert, dass sie nicht nur die Schule nicht verlassen mussten, sondern ein, zwei Jahre später das Abitur schafften. Ich denke, das spricht für sich.

Deshalb bin ich kein Freund des Begriffs und der Vorstellung von „Strafe", weil, wie wir sehen, er im Handumdrehen aus Schülern Delinquenten macht. Ich bin deshalb vielmehr für den Begriff KONSEQUENZEN. Kinder, Jugendliche, Erwachsene müssen lernen, dass all ihr Tun Konsequenzen zeitigt. Die Inder nennen dies Karma, was das Sanskritwort für *Handeln* ist. Der einfache Satz, den Jesus bereits lehrte, lautet: *Tust du Gutes, erntest du Gutes; tust du Schlechtes, folgt Schlechtes*. Das Entscheidende ist, dass die anschließend Betroffenen VORHER wissen, welche Konsequenzen sie erwartet. Wieso gab es bei den drei „Delinquenten" zum Beispiel so eine große Gerichtsverhandlung? Wieso wurden nicht vorher klare Abmachungen darüber getroffen, welche Konsequenzen jemanden erwarten, der aus dem Internat ausbüxt? Oder ist die Schulleitung so weltfremd, dass sie sich ein unerlaubtes Weggehen gar nicht vorstellen konnte?

Hier wird der Fehler vieler Lehrer und Erzieher deutlich: Sie glauben, sie seien die beste Lernquelle für Heranwachsende. Ich halte mich dagegen an den klugen Spruch: *Life is the best teacher – das Leben ist der beste Lehrer.* Und das Leben bestraft nicht. Das Leben sitzt nicht zu Gericht. Jemand macht zum Beispiel etwas falsch, dann passiert dies oder das. Fertig.
Dabei muss uns bewusst sein, dass auch das Leben nach dem juristischen Grundsatz handelt: Unwissenheit schützt vor Strafe nicht. Gehe ich in einen Zoo und weiß nicht, dass die drolligen Elefanten die gefährlichsten Tiere dort sind, die mit Abstand die meisten Menschen töten, komme einem zu nahe und dieser packt mich, wirft mich hoch in die Luft, so kann dies entsetzliche Folgen haben.
Die Fürsorge der Erwachsenen um mich besteht deshalb darin, mich VORHER darauf hinzuweisen. Mir zum Beispiel zu sagen: *Pass auf, Elefanten können sehr unberechenbar sein. Sei deshalb sehr vorsichtig, wenn du ihnen irgendetwas hinhältst.*

Deshalb finde ich auch in der Erziehung Konsequenzen sinnvoll, Strafen aber nicht. Es ist sinnvoll, einem Heranwachsenden zu sagen: „Wenn du dein Zimmer nicht aufräumst, dann darf dein Freund hier nicht übernachten!" Oder: „Wenn du deine Anziehsachen so achtlos behandelst, sie auf den Boden wirfst, sie zerknüllst, obwohl sie noch sauber sind, dann werden sie nicht mehr gewaschen und nicht gebügelt!" Wenn mir auf meine Wünsche beziehungsweise auf meine Aufforderungen mit „gleich" beziehungsweise „ich kann aber nicht" geantwortet wird, dann mache ich eine Zeit aus, bis wann das geschehen sein muss, was ich haben möchte. Geschieht es bis dann nicht, gibt es die ausgemachten Konsequenzen – zum Beispiel, dass der Freund nicht kommen kann, weil das Zimmer nicht rechtzeitig aufgeräumt wurde.

Hier gibt es nicht die Drohung: „Wenn du dies oder das nicht tust, bekommst du Hausarrest!" Es wird eben NICHT mit einer Strafe gedroht, sondern ganz klar eine Konsequenz AUSGEMACHT. Die Aussage ist ganz einfach: „Behandelst du deine Anziehsachen schlecht, hast du bald keine mehr". „Lässt du deine Schuhe herumliegen, kommen sie weg. Irgendwann hast du keine Schuhe mehr, um weg zu gehen."

Jane Nelson beschreibt diese Methode wunderbar in ihrem hervorragenden Buch *Kinder brauchen Ordnung*.

Denn darum geht es: **Um Struktur und Ordnung**. Kinder müssen nicht spuren. Sie sollen vielmehr ihren freien Willen und ihre Kreativität erhalten. Sie müssen aber lernen, dass Struktur, Ordnung und Ausbildung entscheidend im Leben sind, damit sie eines Tages selber die Freude leben und erhalten können, die ihre Eltern als das Ziel von Erziehung ansahen. **Nicht Erfolg ist im Leben das Wichtigste, sondern Freude und die Bereitschaft, für andere zu sorgen und ihnen damit Freude zu bereiten**. Dann hat ihr Leben ein festes Fundament und einen tragfähigen Sinn. Goethe bringt dies wunderbar auf den Punkt, wenn er sagt: *Es gibt zwei Dinge, die wir unseren Kindern mitgeben sollten: Wurzeln und Flügel*. Aktiv und positiv mit Freiheit umzugehen, das sind die Flügel. Sich an Ordnung und Strukturen halten zu können, das sind die Wurzeln.

Deshalb sollten wir Wert auf Struktur, Ordnung und Ausbildung legen und versuchen, unsere Kinder mit vernünftigen Konsequenzen zu erreichen. Dann wird aus einem etwas befremdenden „Yes, Sir – Jawohl" ein klügeres und sinnvolleres „Yes, we can – wird gemacht!" Denn durch das Festlegen einer

Zeit, WANN dies oder jenes erledigt sein MUSS, halte ich mein Gegenüber an, Wort zu halten – eine der allerwichtigsten Eigenschaften, die Menschen erlernen sollten, nein MÜSSEN.

Bei alledem ist das erwähnte Buch von Jane Nelson sehr, sehr hilfreich. Wer sich an ihre Anweisungen hält, baut bei Kindern Selbstwert auf, denn sie erleben unmittelbar, dass es an ihrem Verhalten liegt, was ihnen passiert. Sie können bestimmen, ob sie den Abend mit dem Freund verbringen oder nicht. Sie können bestimmen, ob sie saubere Sachen anziehen können oder nicht. Sie können bestimmen, ob sie Schuhe zur Auswahl haben oder überhaupt keine mehr. Jane Nelson führt das Beispiel an, dass ein Junge so lange seine Schuhe herumliegen ließ, und diese weggenommen wurden, bis er barfuß in die Schule gehen musste. Das war ihm eine absolute Lehre und er veränderte sein Verhalten.

Fürsorge in der Erziehung ist deshalb, Kindern beziehungsweise Jugendlichen deutlich zu machen, dass sie es sind, die ihr Leben bestimmen – jetzt und besonders in der Zukunft. Dies ist ein weiteres Argument gegen eine autoritäre Erziehung, denn sie verhindert Selbstverantwortung und damit gelebte Fürsorge.

Je früher Kinder dies lernen, desto besser werden sie als Erwachsene ihr Leben gestalten, für sich und andere sorgen und zu innerem und äußerem Erfolg beziehungsweise Glück gelangen. Denn sie werden sich in ihren privaten und beruflichen Kontakten so verhalten, dass ihre Gegenüber merken: Hier geht jemand achtsam und verantwortungsbewusst mit sich und anderen um. Dies öffnet Türen, führt uns zu Glück und Erfolg und früher oder später auch zu innerer Ruhe.

Wenn dies geschieht, ist Erziehung geglückt und wir haben die Fürsorge für die uns Anvertrauten erfolgreich gelebt.

3. STRUKTUR UND ORDNUNG

Im letzten Kapitel ging es um das Ziel von Erziehung. Und wir sahen, dass Struktur und Ordnung wichtige Ziele sind. Warum eigentlich?
Erstens, weil Unordnung unendlich viel Energie frisst und sie *zweitens* häufig viel Zeit und Geld (!) kostet. Wer seine Papiere nicht abheftet, wer seine Belege nicht ordnet, wer zum Beispiel seine Steuererklärung zu spät und zudem auch noch unvollständig abgibt, den kann dies viel Geld kosten und auch sonst noch eine Menge Ärger einbringen.
Vor Jahren kaufte ich mir über einen Versandhandel einen Pilotenkoffer. Ich zahlte ihn, heftete die Rechnung ab und verreiste dann mit ihm über längere Zeit. Als ich wieder kam, hatte ich in meiner Post das Schreiben eines Inkassobüros, das von mir in Form von Verzugszinsen und Gebühren aller Couleur fast das Doppelte dessen haben wollte, was ich für den Koffer gezahlt hatte. Ich rief dort an, doch war mit den Typen am anderen Ende nicht zu reden. In unverschämtem Ton versuchten sie, mich abzukanzeln und wiederholten fast gebetsmühlenartig, ich müsste dies zahlen, sonst gingen sie vor Gericht. Ich wiederholte ihnen mehrmals, dass ich gezahlt hätte und ich nicht verstünde, was da passiert sei.

Sie schickten mir aber noch mehr Mahnungen und Drohungen, die natürlich alle mit noch mehr Gebühren verbunden waren. Da ich aber nicht gewillt war, dieses sinnlose Spiel mitzumachen und zu zahlen, gingen sie tatsächlich vor Gericht. Da ich noch die Originalrechnung und den Überweisungsbeleg hatte, kopierte ich beides und übergab es dem Gericht. Was geschah? Diese unanständige Firma und das noch unanständigere Inkassobüro verloren den Prozess haushoch. Sie mussten alle Anwalts – und Gerichtskosten zahlen. Zwei nicht besonders große Belege ersparten mir viel Ärger und viel Geld.

Was will ich damit sagen? **Ordnung und Struktur sind entscheidend.**
Einfach in den Tag hinein zu leben, alles herum fliegen zu lassen, sich nicht um seine Papiere zu kümmern, kann fatale Folgen haben.
Viele denken: „Was soll's? Ja, ich bin unordentlich, aber kreativ!" Ich antworte: „Vorsicht!" Warum? Weil ich viele Menschen kennengelernt habe, die Unordnung als Philosophie der Freiheit verstanden haben. Die meisten von ihnen sind gescheitert. So kenne ich einen Mann, dessen Büro mit Zeitschriften, Zeitungen, Büchern und vielem anderen so voll ist, dass man es kaum betreten kann. Er sprach auch immer von seiner „Kreativität". Und worin bestand diese Kreativität im Endeffekt? Dass er auf vielen wichtigen Ebenen gescheitert ist und leider sowohl menschlich als auch finanziell völlig unzuverlässig ist. So ist, finanziell gesehen, sein Lebenswerk im Grunde ein Desaster beziehungsweise genauso ein Chaos wie sein Büro.

Deshalb bin ich immer vorsichtig, wenn Menschen ungepflegt, unordentlich und/oder ohne Struktur sind. Die meisten von ihnen leben auf Kosten anderer.
So kam vor einiger Zeit ein Mann zu mir, der sehr schlampig gekleidet war. Und was kam raus? Er ist jemand, der nicht Wort hält. Er verspricht dies oder jenes, tut es aber nicht. Menschen verlassen sich auf seine Aussagen – die er aber nicht hält. So ging es seiner Firma auch nicht gut, bis jemand ihm sagte, er müsse die Einheit von Gedanken, Worten und Werken leben. Eines zu sagen und etwas anderes zu tun, sei seiner nicht würdig. Dies kam an, und führte ihn zu privatem Frieden und beruflichem Erfolg.

So ist es verständlich, dass viele, die durch entsprechend schlechte Erfahrungen gelernt haben, vorsichtig sind, wenn Menschen unordentlich, vielleicht sogar nicht sauber und unstrukturiert sind. Sie wenden hier die wichtige Regel an: **Innen wie außen.**
Sie fragen zu Recht: Wie geht jemand mit sich und anderen um, wie sorgt er für sich und seine Mitmenschen, wenn er Dinge beziehungsweise seine Bleibe so schlecht behandelt – und zum Beispiel Abrechnungen schlampig macht? Auch hier ist Vorsicht geboten, denn es könnte sich mehr dahinter verbergen als nur Schlamperei.

Sehr gut verdeutlicht dies der spannende Film *Gone, Baby, Gone* mit Morgan Freeman. Ich bin sonst kein Freund von Krimis, die eine Kindesentführung thematisieren. Dies ist aber ein kluger Film, der das Thema behandelt, was geschieht, wenn jemand sich blind an „Law and Order" hält. Interessant fand ich besonders, wie die innere Befindlichkeit von Menschen anhand äußerer Ordnung oder eben anhand von Chaos oder Dreck gezeigt wird. Hätte Patrick, der Privatdetektiv, der die Hauptuntersuchung führt, mehr auf das Chaos geachtet, in dem die Mutter der entführten Amanda lebte, er hätte einigen Beteiligten und auch sich viel Leid erspart. Seine Freundin Angela ist dagegen viel klüger: Sie wollte den Fall nicht annehmen und ihn auch rechtzeitig abschließen. Patrick hat aber nicht ihre emotionale Intelligenz und muss deshalb noch viel lernen – zum Beispiel auf die Umgebung und die Vulgarität der Sprache zu achten.
Er hat noch so viel Chaos in sich, dass er weder das Chaos bei anderen sehen noch größeres verhindern kann, sondern sogar selber mit verursacht.

Der Film zeigt noch etwas sehr Wichtiges: Patricks Gegenspieler, der Polizeichef (Morgan Freeman) hat die seelische Größe, die dem jungen Detektiv fehlt. Er ist aber selber durch Schmerz und die damit verbundenen Wünsche in seinem Handeln so unklar, dass er eine Lösung anstrebt, die bei nüchterner Betrachtung nie gut gehen kann. Er hätte vielmehr in Anlehnung an die geltenden Gesetze handeln sollen, dann wäre er ein Segen für alle geworden. Auch er, obwohl eine völlig andere Figur als Patrick, macht deutlich, wie entscheidend im Leben Struktur und Ordnung sind und dass wir uns unbedingt an sie halten müssen, wenn wir Erfolg, Glück und inneren Frieden erreichen – beziehungsweise Misserfolg, Unglück und Chaos vermeiden wollen. Denn genau dies bedeutet **Fürsorge für mich und andere.**

SIMPLIFY YOUR LIFE

All das bisher Gesagte macht deutlich, wie wichtig Achtsamkeit, Umsicht und innere Ordnung als Voraussetzung für Fürsorge sind.
Es erhebt sich aber die praktische Frage: Wie bekomme ich faktisch Struktur und Ordnung in mein Leben? Hier ist das Buch von Werner Tiki Küstenmacher und Lothar J. Seiwert *Simplify Your Life* eine große Hilfe.

KÜCHE, KELLER, KLEIDERSCHRANK

Von Werner Tiki Küstenmacher und seiner Frau Marion gibt es ein kleines Bändchen mit dem Titel: *Simplify Your Life – Küche, Keller, Kleiderschrank entspannt im Griff* zu haben. Interessant ist, was sie schreiben (S. 11-12): *Wer Ordnung schafft, übernimmt die Führung. Der amerikanische Stararchitekt Louis Kahn dachte jahrelang darüber nach, was Ordnung ist. Er kam zu dem Ergebnis, dass Ordnung zu schaffen bedeutet, in seinen Räumen die geistige Führung zu übernehmen und den Dingen ihren Weg zu weisen. Das ist dein Platz, da gehörst du hin. Oder auch: Du hast hier ausgedient oder keine Funktion, also habe ich entschieden, dass du gehst. Hilfreich ist es dabei,*

die Unordnung zu durchschauen. Wenn Sie vor ihrem inneren Auge sehen können, wie es aufgeräumt und sauber aussieht, wissen sie intuitiv, was wohin gehört.
Wer im Chaos lebt, bleibt in der Vergangenheit. Unnütze Dinge in Wohnungen und Büros belasten die Seele mehr, als viele ahnen. Ihr Bewusstsein hat gelernt, über ungeordnete Regale und voll gestopfte Zimmer hinweg zu sehen. Ihr Unterbewusstsein ist damit überfordert und belastet. Frei ist es erst, wenn das Zeug aus dem Haus ist, denn was auch immer Sie aufheben – es sind Gegenstände aus der Vergangenheit. Je mehr Sie horten, umso stärker werden Sie im Gestern festgehalten. Schalten Sie von Gewesenem auf Kommendes um, vom Rückblick auf Neugier.

Dies sind sehr interessante Gedanken, denn ich habe immer wieder festgestellt, dass unordentliche beziehungsweise unzuverlässige Menschen gegen jemanden aus der Vergangenheit kämpfen. Sie leben nach dem Motto Freiheit VON anstatt Freiheit FÜR, das wir im letzten Kapitel kennengelernt haben. Erkennen sie, dass es ihnen nichts bringt, gegen jemanden aus der Vergangenheit zu kämpfen, sondern dass es entscheidend ist, sich auf **positive Ziele in der Zukunft** auszurichten und sich für sie einzusetzen, dann ändert sich ihr Leben und sie finden zur Ordnung beziehungsweise halten Wort. Deswegen sagt die amerikanische Organisationsexpertin Barbara Hemphill: *Das Problem von unordentlichen Menschen ist weniger ein Mangel an Organisation als vielmehr ein Mangel an Perspektive.* Da haben wir es wieder: **Bei der Unordnung geht es um Freiheit VON Ordnung anstatt um Freiheit FÜR Erfolg.**
Interessant ist nun, welche Schlussfolgerung Barbara Hemphill zieht: *Was Sie neben Ihren Papierstapeln und Ihren chronischen Schubladen ausmisten sollten, sind Ihre Erwartungen an sich selbst. Hier ist es meist am schrecklichsten überfüllt.*

(Hierauf komme ich ausführlich im Kapitel *Perfektionismus und Vollkommensein* zu sprechen).

FEHLER MACHEN

Dass Problem vieler Menschen ist leider, dass sie keine Fehler machen dürfen (s. auch Kap. 7). Sie haben entweder zuhause oder in der Schule oder an beiden Orten erlebt, dass Fehler zu machen, ein großes Problem ist. So glauben immer noch viele Lehrer, sie seien dann besonders gut, wenn sie alle Fehler aufdeckten. Und es gibt immer noch Lehrer, die im 21. Jahrhundert glauben: „Nicht geschimpft, ist genug gelobt!" Diese Haltung ist im Umgang mit Jugendlichen äußerst destruktiv. Ich erlebe es in meinen Seminaren immer wieder, wie wichtig dies für Menschen ist: Gelobt zu werden und Fehler als Chance zu sehen.
Fehler sind zudem DIE Chance für Wachstum. Ohne Fehler zu machen, können wir nicht wachsen. Wie soll ein Erstklässler lesen und schreiben lernen, wenn er keine Fehler machen darf? Inneres Aufräumen bedeutet deshalb auch, die Vorstellung auszumisten, man dürfe keine Fehler machen. Wahr ist genau das Gegenteil: Man muss Fehler machen. Unordentliche haben Angst den Fehler zu machen, dass sie etwas wegwerfen, das sie eines Tages gebrauchen könnten und begehen daher den größten Fehler: Sie tun gar nichts.

Deshalb muss der Unordentliche lernen, Fehler zu machen, und dass er wegwerfen können muss, sonst kommt sein Leben erst ins Stocken, um am Ende möglicherweise ganz stehen zu bleiben. Deshalb sagt Kurt Tucholsky zu Recht: *Die Basis einer gesunden Ordnung ist ein großer Papierkorb*. Genau das schreckt den Unordentlichen – und genau hier ergibt sich der Unterschied zwischen jemandem, der gelernt hat, Fehler zu machen und jemandem, der keine Fehler machen durfte. Wer in seiner Kindheit Fehler machen durfte, wird sich bei Neuem absichern. Bekommt er seine Papiere nicht in den Griff, weiß er nicht, wie er seinen Schreibtisch beziehungsweise seine Ordner strukturieren kann, dann holt er sich fachliche Hilfe. Warum? Weil er bereit ist umzudenken. Und genau hier tut sich der Unordentliche schwer. Er hängt unbewusst an der Vergangenheit und an der möchte er nicht rütteln. Ein Beispiel hierfür ist Piero. Er liebte seine Mutter so sehr, dass er es nicht schaffte, eine Frau zu finden und sich sein eigenes Leben aufzubauen. Er erbte von ihr ein großes Haus, in dem er nach ihrem Tod nichts veränderte. Man stelle sich vor: Das Haus blieb bis zu Pieros Tod das Haus seiner Mutter, denn er beließ ALLES, so wie es war. Selbst die Dinge, zu denen seine Mutter nicht gekommen war, die deshalb noch herum standen, die liegen geblieben waren, beließ er dort. Sein Haus war ein Museum – ein Museum für seine Mutter. Sein Leben auch. Kein Wunder, dass er keine Frau fand, keine Kinder hatte und mit vielem nicht klar kam, besonders nicht mit seinem Geld.

Es gibt natürlich auch das andere Extrem, nämlich Menschen, die alles wegwerfen. So kannte ich ein Ehepaar in New York, das immer in so genannten Lofts lebte, das sind große Wohnungen, die aber mehr oder minder nur aus einem Zimmer bestehen. Die beiden richteten stets ihre Wohnung neu ein, kauften alles neu und verkauften alles dem Nachmieter, wenn sie nach ein, zwei oder drei Jahren auszogen.
Wie immer im Leben sind Extreme nicht besonders gut und daher nicht erstrebenswert. Man kann einen Fehler dadurch machen, dass man nichts wegwirft, aber auch dadurch, dass man alles weggibt. Bei dem oben erwähnten Paar finde ich interessant, dass sie keine Kinder hatten und dass sie nach dem dritten, vierten Umzug getrennt waren. Sie haben sich nichts Gemeinsames aufgebaut, alles war austauschbar, so auch ihre Beziehung.

Das Leben besteht nicht nur aus Schwarz und Weiß, sondern aus unendlich vielen Grautönen. Deshalb gibt es unendlich viele verschiedene Formen der Ordnung. Wir sollten unsere Form finden, und wenn wir Schwierigkeiten dabei haben, uns helfen lassen.

KLUG AUFRÄUMEN

Damit kommen wir zu einem wichtigen Punkt: Es geht nicht nur darum aufzuräumen, sondern **klug** aufzuräumen.
Dafür liefert das Ehepaar Küstenmacher viele hilfreiche Hinweise, Anregungen und Tipps. In manchen schießen sie für mein Dafürhalten aber über das Ziel hinaus. Ich zum Beispiel liebe Bücher. Meine Platon-Ausgabe ist 40 Jahre alt, ebenso die Seneca-Ausgabe, aus der ich im Kapitel über die Zeit zitiere. Wie sollte ich meine Anmerkungen finden, wenn ich diese Bücher nicht mehr hätte? Deshalb käme ich nie auf die Idee Bücher, die mein Leben bereichert haben wegzugeben. Die Autoren dagegen meinen, „der Inhalt der meisten Bücher veraltet schnell" (S. 100), also sollte man sie entsorgen. Wie viele Bücher habe ich aber, die mir nach Jahrzehnten wieder Freude machen! Für mich sind Bücher wie Familienangehörige – die gibt man auch nicht einfach weg.
Trotzdem ist die Anregung wichtig: Es gibt Bücher, die mich nicht mehr interessieren, die mir nicht viel gegeben haben. Ich überlege mir bei ihnen, ob sie mir noch einmal von Nutzen sein können, zum Beispiel als Grundlage einer kritischen Auseinandersetzung. Wenn nicht, gebe ich sie weg.

Ebenso ist die Frage der beiden Autoren bezüglich der Anziehsachen für mich nicht so anwendbar. So fragen sie: „Wie viele Sachen in ihrem Kleiderschrank ziehen Sie regelmäßig an? a) Was ich ein Jahr lang nicht getragen habe, entsorge ich; b) Da sind eine Menge Sachen drin, die repariert werden müssen, die mir nicht mehr passen usw."

Die Anregung der beiden Autoren hier ist als theoretischer Hinweis absolut hilfreich, denn sie lässt uns darüber nachdenken, ob wir nicht einiges aufheben, was wir wirklich nicht mehr brauchen. Aber so absolut, wie es da steht, halte ich die Aussage nicht für sinnvoll, denn ich habe viele Kleidungsstücke, die ich jahrelang nicht anziehe, aber trotzdem plötzlich dringend brauche. So habe ich über Jahre weder meinen Cut noch meinen Smoking gebraucht, dann war ich aber auf eine Hochzeit eingeladen und brauchte beide. Wie gut, dass sie gereinigt und in Folie gehüllt im Schrank hingen und ich sie nur herausnehmen und auf das Fest mitnehmen brauchte.
Ich hob aber auch einen Blazer mehr als zehn Jahre auf. Letztes Jahr konnte ich ihn meinem Sohn für den Tanzkurs geben. Außerdem käme es mich ganz schön teuer, wenn ich mir neben einem neuen Cut und Smoking auch noch einen schwarzen Anzug kaufen müsste, weil ich diesen nur auf Beerdigungen trage.

Ähnliches schlagen sie für Möbel, Bettzeug und alles, was man länger nicht verwendet, vor. Auch hier denke ich, muss man mit Klugheit vorgehen. Zum Beispiel bin ich heute noch meiner Großtante Lilly dankbar, in deren Haus wir nach ihrem Tod in Italien lebten. Sie hatte auf dem Speicher in vielen großen Schränken und Kommoden unglaubliche Schätze aufbewahrt, die wir Kinder entdeckten und anschließend mit bangen Herzen unsere Eltern fragten, ob wir sie haben dürften. Manch eine Kostbarkeit habe ich heute noch, weil Tante Lilly sie Gott sei Dank aufbewahrte.
Ebenso erzählte mir vor kurzem eine sehr kultivierte Frau, Christina, sie sei einmal per Zufall einem Bauern auf seinem Trecker hinterhergefahren. Während sie so hinterher fuhr, bemerkte sie, dass auf dem Anhänger eine wunderschöne alte Kommode stand. Wie ein Blitz durchfuhr sie der Gedanke: „Der bringt die zum Sperrmüll!" Sie fuhr dem Trecker hinterher, und tatsächlich: der Bauer fuhr zum Wertstoffhof und

wollte diese kostbare Kommode hier entsorgen. Christina fragte ihn, was er dafür haben wolle – er verlangte einen lächerlichen Betrag. Der Bauer wollte Platz und Ordnung in seinem Haus schaffen, dabei war es ihm nicht wichtig zu wissen, was er da entsorgt beziehungsweise welch ein Kulturgut er vernichtet hätte.

Also: Wie immer im Leben ist alles gut, solange wir es nicht übertreiben. Auf der anderen Seite müssen die Autoren auch wachrütteln, Maximalforderungen stellen, damit überhaupt etwas passiert.
Aber auch hier sind Struktur, Ordnung und Aufräumen angesagt: Wir müssen uns fragen, was ist für UNS sinnvoll, was bringt UNS weiter und was ist für andere sehr hilfreich, aber nicht für mich.
Fürsorge bedeutet hier, dass ich mich frage, was mir weiterhilft und verstehe, dass das, was für mich möglicherweise gar nicht hilfreich ist, für andere sehr nützlich sein kann.
Fürsorge bedeutet auch, dass die Struktur und Ordnung, die für mich wichtig sind, für jemand anderen nicht wichtig sind und ihm sogar schaden können.
Fürsorge bedeutet daher die Fähigkeit zu haben, die eigenen Bedürfnisse zu erkennen und gleichzeitig zu sehen, dass sie ganz verschieden von denen anderer sein können und zum Teil auch sind.
Fürsorge bedeutet deshalb auch, nicht zu werten, sondern zu sehen, dass das, was jemanden glücklich macht, noch lange nicht gut für einen anderen sein muss. Denn wie sagt Platon so weise? *Gerechtigkeit ist, dass jeder das SEINE hat und tut.* Das heißt: Haben alle das Gleiche, ist es weder gerecht noch zeugt es von Fürsorge – deshalb können sich Ordnung und Struktur auch ungerecht und nicht fürsorglich auswirken, wenn man sie blindlings über alle Menschen stülpt, ohne auf deren jeweilige Bedürfnisse zu achten.

Deshalb ist es so wichtig, dass wir die Freiheit haben, UNSEREN Weg zu finden. Dann haben wir zwangsläufig für uns gesorgt, indem wir zu UNSERER Ordnung gefunden haben.

4. Mein Leben planen

Reinhard saß mit zwei Freunden zusammen und sie machten eine Liste, was sie sich jeweils von einer Frau wünschten. Bei Reinhard, der schon immer sehr genau war, fiel diese Liste recht ausführlich aus. Als die Listen fertig waren, machten die drei jeweils eine zweite Liste, auf die sie die Namen der Frauen schrieben, die ihnen dazu einfielen. Kaum hatte Reinhard diese zweite Liste erstellt, war ihm bereits klar, welche dieser Frauen am besten zu seiner Wunschliste passen würde. Und was geschah? Sie wurden ein Paar und sind es nach 30 Jahren immer noch. Zudem glücklich und beide sehr erfolgreich.

Elisabeth wünschte sich in München eine Wohnung, so schrieb sie sechs Eigenschaften auf, die diese haben sollte: preiswert, frisch renoviert, groß, zentral gelegen, ruhig und mit guter Verkehrsanbindung. All dies bekam sie, nur eines hatte sie vergessen: Die Wohnung war nicht besonders hell.
Da sie sich ihre Ziele gerne genau vorstellte und aufschrieb, machte Elisabeth nun – ähnlich wie Reinhard – eine Liste, wie ihr zukünftiger Ehemann sein sollte. Und was bekam sie? „All dies und sogar noch mehr!", wie sie heute noch nach vielen Jahren froh berichtet.

Wir brauchen Ziele

Was sagt uns all dies? **Wer für sich sorgt, sorgt dafür, dass er sich bewusst wird, was er will**. Viele Menschen haben Probleme, weil sie sich nicht die Zeit nehmen herauszufinden, was sie wirklich wollen. Dies bedingt, wenn sie etwas bekommen, dass sie nicht wissen, ob es das ist, was sie sich wirklich wünschen. Der Prozess des Überlegens, des Abwägens, der kritischen Prüfung findet damit ZU SPÄT statt. Das macht unsicher, unzufrieden und am Ende nicht erfolgreich.

Wir müssen uns deshalb klar werden, WAS wir wollen, WANN wir es wollen, und WELCHEN Preis wir dafür zu zahlen bereit sind. Dieser letzte Punkt ist heute schwierig, denn viele wollen alles sofort, perfekt und am besten kostenlos. Dies ist meiner Ansicht nach ein Grund dafür, warum heute die Singlehaushalte immer mehr zunehmen – in den deutschen Großstädten belaufen sie sich bereits auf die Hälfte der Wohnungen. Die Menschen sind sehr anspruchsvoll geworden, wenig kompromissbereit und zum Teil recht egoistisch – schlechte Voraussetzungen für gute, lang andauernde Beziehungen – sowohl privat als auch beruflich. Interessant in diesem Zusammenhang ist, was ein 85jähriges Ehepaar antwortete, das seit 60 Jahren glücklich verheiratet ist, als es nach seinem Erfolgsrezept gefragt wurde: *Wir stammen aus einer Zeit, in der Dinge noch repariert und nicht einfach weggeworfen wurden!*

Wie ich in meinem Buch *Fülle* ausführlich beschrieben habe (S. 66-72) gibt es ganz klare Regeln, wie man seine Ziele aufschreiben beziehungsweise gestalten sollte. So besteht der dritte Punkt darin, dass wir uns fragen, „was wir AN UNS verändern müssen, um unser Ziel zu erreichen. Fragen wir uns nun in der Stille, im Gebet oder in der Meditation, was wir an uns ändern sollen, dann kann es sein, dass uns die Antwort gar nicht freut. Denn vielleicht bekommen wir ja die Antwort, noch mehr als bisher an uns arbeiten zu müssen" (S. 69). Und genau dies ist Fürsorge für uns und für andere beziehungsweise die Fähigkeit dafür zu sorgen, dass andere für uns sorgen. Bringe ich nämlich nicht meine Erwartung mit dem in Einklang, was ich zu bieten habe, sind Probleme vorprogrammiert. Außerdem gibt es ein weiteres Gesetz, was Je Rinpoche (1357-1419), Lehrer des ersten Dalai Lama, klar formuliert: *Was auch immer du dir vom Leben wünschst, musst du zuerst für jemand anderen tun!* Es reicht deshalb nicht aus, seine Ziele aufzuschreiben und abzuwarten, bis sie erfüllt werden. Reinhard und Elisabeth, die ich oben erwähnte, haben viele Eigenschaften gemeinsam, wie Zielstrebigkeit, Engagement, Durchhaltevermögen, soziale Kompetenz und ein gewinnendes Wesen. Die Eigenschaft aber, die besonders wichtig für ihren Erfolg ist, zeigen sie deutlich in ihrer Bereitschaft, nicht nur zu helfen, sondern es auch gerne zu tun. Sie haben immer Zeit für andere, denen sie zum Teil sehr großzügig helfen.

Glück ist Fleiß. Fülle ist Geben. Fürsorge für andere ist Fürsorge für mich.
Deshalb ist es so wichtig, dass ich wirklich weiß, was ich will, und mir daher die Mühe mache herauszufinden, was ich finden will. Außerdem muss ich mir darüber klar werden, ob **ich ewig suchen oder endlich FINDEN möchte.**
Wer finden möchte, MUSS Abstriche machen. Wer dagegen ewig suchen möchte, kann bei seinen Maximalforderungen, seiner Kompromisslosigkeit, seinen Illusionen und bei seinem Egoismus bleiben. Er muss sich nicht der Realität seines Gegenübers stellen. Er muss nicht SEINEN Teil Verantwortung übernehmen. Er kann vielmehr, fern jeglicher Realität, stets den anderen die Schuld geben. Er muss sich nicht ansehen, er muss sich nicht an seiner eigenen Nase fassen, er muss sich keine Fehler eingestehen, er kann vielmehr aus tiefster Überzeugung behaupten, er habe leider immer das Pech, an die Falschen zu geraten. Er muss sich nicht kritisch hinterfragen und er muss sich keine Fehler eingestehen, denn er kann ja stets gehen. Ja, er kann gehen, und der andere bleibt zurück. Wen oder was er aber beim Gehen mitnimmt, ist sich selbst und seine mangelnde Fähigkeit beziehungsweise Bereitschaft, eine dauerhafte Beziehung einzugehen, bei der ein wesentlicher Aspekt der Fürsorge darin besteht, dass man bereit ist, Kompromisse zu machen.

An dieser Stelle denke ich mit Bewunderung an zwei Frauen, die sich im Alter von zwölf Jahren kennen lernten und sehr unterschiedlich waren. Die eine war eher introvertiert und literarisch interessiert, die andere eher sportlich und extrovertiert. Ihre Freundschaft überdauerte zwei Weltkriege und einen Neuanfang beider in 1000 km Entfernung. Weil sie sehr unterschiedlich waren, hatte ihre Freundschaft einige Auf und Abs, aber sie hielt, bis eine von beiden starb – mit 93! Ihre Freundschaft hatte damit 81 Jahre gehalten – sie stammten eben noch aus jener Zeit, in der Dinge repariert und nicht weggeworfen wurden.

Ja, wir brauchen Ziele. Wir brauchen aber auch Kompromissbereitschaft, Toleranz, Humor, wir müssen großzügig sein und nicht nachtragend. All diese Eigenschaften entwickeln wir in langjährigen Beziehungen, denn sie lehren uns, sofern wir uns auf sie einlassen und an uns arbeiten, Fürsorge für uns und für andere. Ein weiterer Beweis dafür, wie kostbar Fürsorge ist.

5. Positivität und Negativität

Mein Vater war ein sehr begabter Mann. Außerdem war er hoch sensibel und sogar sehr intuitiv. Er wurde aber von seinen Eltern nach den brutalen Richtlinien erzogen, die ich im 2. Kapitel, *Erziehung und Fürsorge*, zitierte. Seine Kindheit war daher eher gruselig. Ein trauriges Beispiel dafür, was die von den Nazis propagierte herzlose Form der Erziehung aus einem begabten und sensiblen Menschen macht. So war der Leitspruch meines Vaters: „Denke ich einmal positiv, geht es mit Sicherheit schief!" Dieses negative Denken bedingte, dass er, der so viele Möglichkeiten hatte, leider auf vielen Gebieten scheiterte. Am Ende seines Lebens hätte er, ähnlich wie Giacomo Casanova sagen können: „Sono deluso – ich bin enttäuscht."

Da ich sehr früh, nämlich mit vier Jahren, nach Italien kam, und mein Vater zu der Zeit sehr mit dem Aufbau des Betriebs beschäftigt war, den er dort übernommen hatte, hatte ich mehr mit den Italienern in meiner Umgebung als mit ihm zu tun. Dies bedingte mit Sicherheit auch, dass ich einen ganz anderen Weg als meine älteren Brüder einschlagen konnte. Zudem machte ich sehr viel Therapie und setzte mich mit vielem völlig Neuem auseinander.
So ist es einige Jahre her, dass ich mich einmal hinsetzte und mir überlegte, was von dem, wie ich heute noch lebe, von meinen Eltern stammt: Ich denke anders als sie, ich kommuniziere anders, ich habe andere Ideale, ich ernähre mich anders, ich habe andere Ärzte – Homöopathie anstatt Allopathie –, ich denke anders über Erziehung, ich gehe sogar anders mit unseren Hunden um, als sie es mit ihren taten, und ich bin auch

noch anders eingerichtet. Klingt alles sehr gut. Doch, wie heißt es so gut? *Life is the best teacher – das Leben ist der beste Lehrer!*

Drei Feste bedingten bei mir eine große Veränderung.
Als erstes waren meine Frau Constanze und ich auf einem sehr schönen Fest bei Freunden eingeladen. Nun ist es nicht so, dass ich ein großer Tänzer bin. Da Constanze aber sehr gerne und sehr gut tanzt, war ich mit ihr auf der Tanzfläche und versuchte, über die Runden zu kommen.
Da kamen die Gastgeberin und der Gastgeber, und bald darauf tanzte sie mit mir und er mit Constanze. Er machte mit ihr einen guten Fang und die beiden tanzten wunderbar. Seine Frau dagegen merkte alsbald, dass es mit mir auf diesem Gebiet nicht weit her war und reichte mich galant an eine hübsche junge Frau, Sylvia, weiter. Diese zog es bald auch vor, sich mit mir hinzusetzen und zu reden. Sie war eine sehr intelligente Frau, die sehr selbstständig zu sein schien.

Das zweite Fest war der Abschlussball unseres Sohnes. Constanze und ich waren an einem Tisch auf der obersten Tribüne platziert worden. Drei Plätze waren noch frei. Da kam ein Mann mittleren Alters, Werner, und fragte, ob die drei Plätze noch frei seien? Wir wussten das nicht, aber es sah so aus. Er wollte sich erkundigen, sagte er. Dann kam er mit seiner Freundin, Clara, wieder. Wir unterhielten uns gut und hatten einen lustigen Abend. Am Ende tauschten wir noch unsere Adressen aus und meinten, wir könnten uns zu einem späteren Zeitpunkt zusammen rufen.

Das dritte Fest fand in Puttaparthi, Indien, statt. Es wurde hier das Chinesische Neujahrsfest gefeiert. Alles war sehr schön geschmückt und ich saß, da ich sehr früh gekommen war, in der ersten Reihe. Während ich darauf wartete, dass tibetische Mönche bald darauf ein wunderbares Konzert geben würden, kam jemand zu mir, und drückte mir ein Heft in die Hand mit der Überschrift *Love in Action – Dusshera Edition, Vol IV, Edition 2011.* Ich schlug es auf und, passend zu den tibetischen Mönchen, war der erste Artikel vom Dalai Lama. Er schrieb darin etwas für mich sehr Wichtiges: **Realität ist nur zu erkennen, wenn man positive Gefühle hat.** Negative Gefühle seien unreif, eng und unklar. Positive dagegen seien reif, weil hier die Gefühle mit der Intelligenz verbunden seien. Durch die Verbindung von positiven Gefühlen, Analyse und Nachforschungen, komme man zu einer ganzheitlichen Sicht der Realität.

Dieser Artikel des Dalai Lama berührte mich sehr. Zusammen mit der wunderbaren Energie dieses Festes veränderte er irgendetwas ganz tief in mir. Etwas Anderes war mir aber noch nicht klar geworden.

VORSICHT BEI NEGATIVITÄT

Aus Indien zurückgekehrt, traf ich Sylvia. Die Unterhaltung mit ihr war sehr kurzweilig, mir fiel aber etwas auf: Immer, wenn sie sprach, sah sie mich genau an, um festzustellen, wie das Gesagte auf mich wirkte. Sprach ich aber, sah sie in der Gegend herum. Ich fand das Gespräch mit ihr sehr interessant, bis mir ihre Negativität bewusst wurde, die sie vielen und Vielem gegenüber hatte, und ich mied von da an den Kontakt. Ein Beispiel ihrer Negativität war, dass sie einen Mann getroffen hatte, der meine therapeutische Arbeit sehr schätzt, die er aus eigener und der Erfahrung seiner damaligen Partnerin her kennt. Er berichtete Sylvia auch, dass ich nicht wünsche, dass Frauen in den Gruppen Röcke tragen. Sylvia fand dies unerhört, eine völlig inakzeptable Vorschrift. Da war keine Frage nach dem Warum, keine Achtung mir gegenüber, dass ich wohl einen – oder gar mehrere! – gute Gründe haben könnte. Da kamen nur negative Bewertungen und im Grunde Ablehnung. Dabei hätte eine einzige Frage alles klären können: Ich bitte

Frauen, keine Röcke zu tragen, weil es erstens bei psychodramatischen Aufstellungen mit inneren Instanzen oder Personen zuweilen regelrechte Handgemenge gibt und Röcke sich dabei als völlig unpassende Kleidungsstücke herausstellten; zweitens durch das Sitzen im Kreis ergeben sich für Frauen mit Röcken Situationen, die ein Gruppenteilnehmer folgendermaßen kommentierte: „Liebe Soundso, man kann bei dir bis zur Leber sehen!" Das möchte ich Frauen von vornherein ersparen und bitte sie deshalb keine Röcke zu tragen. Aber interessierte dies Sylvia? Nicht besonders, sie blieb vielmehr in ihrem Film und erzählte mir, was sie so alles mit Männern erlebt hatte und wie egoistisch sie seien.

Dann traf ich Werner. Wir saßen in seinem Wohnzimmer vor einem sehr schönen Kamin mit einem herrlichen großen Feuer darin. Wir unterhielten uns sehr gut, bis seine Exfreundin Clara kam – Exfreundin, denn sie hatten sich vor kurzem getrennt.
Werner und Clara sind Juristen. Kaum hörte sie, ich sei Psychotherapeut, versuchte sie mich in ein Verhör zu zwingen. Warum ich das machte, ob ich überhaupt den Menschen helfen würde, ob ich es nicht nur des Geldes wegen tue, ob es überhaupt was bringe und nicht vielmehr Manipulation sei und so weiter und so fort. Zunächst antwortete ich auf ihre Fragen. Als ich aber bemerkte, was sie tat, sagte ich ihr, ihr Fragen brächte nichts, denn sie höre meinen Antworten nur zu, um neue zweifelnde Fragen stellen zu können. Sie ging aber nicht auf meine Feststellung ein, sondern stellte weitere Fragen. Sie hörte nicht auf damit. Nun wurde ich deutlicher und sagte ihr, ich hätte keine Lust auf dieses „staatsanwaltliche Verhör". Sie machte aber weiter. Daraufhin schwieg ich. Da fragte sie, warum ich schweige. Ich antwortete, ich wolle nicht mehr, ich hätte keine Lust auf dieses Verhör. Sie hörte immer noch nicht auf und fragte mich, warum ich keine Lust hätte. Da antwortete ich, dass es mich langweile. Das fand sie nun verletzend. Ihre Art der negativen Inquisition und ihre negativen Unterstellungen

fand sie O.K. Auch dass sie damit nicht aufhörte, obwohl ich sie darum bat, fand sie in Ordnung. Aber meine Gefühle dazu fand sie verletzend!
Und was tat Werner? Nichts! Ich meinerseits merkte, dass ich bei den beiden nicht bleiben wollte, verabschiedete mich und ging.

Ich kam zuhause an und dachte nach: was war da passiert? Was bedeutete das? Ich ging dem Ganzen nach und überlegte mir, was es mir zu sagen hatte. Da fiel mir wieder der Artikel des Dalai Lama ein. Und schon beschäftigte mich die Frage, wie ging ich mit Negativität um?
Ich dachte nach, ich spürte nach. Da fiel mir etwas auf: Sylvia, Werner und Clara haben sehr viel Negatives gesagt, und wie reagierte ich darauf? Gar nicht! Ich stellte meine Ohren auf Durchzug! Und da wurde es mir deutlich: Das war genauso, wie ich mit meinem Vater und mit meinen Brüdern umging. Ich überhörte deren Negativität. Ich reagierte nicht darauf, wenn mein Bruder, der Landwirt ist, mir erklärte, was Psychologie sei. Ich reagierte nicht darauf, wenn die drei dies oder jenes schlecht fanden.
So reagierte ich ebenfalls bei Sylvia nicht, obwohl sie über vieles negativ sprach. Und ich reagierte viel zu lange freundlich bei Clara, die im Grunde eine unglaubliche Negativität ausdrückte.
Den Dreien habe ich mithilfe des Dalai Lama zu verdanken, dass mir etwas Entscheidendes bewusst wurde: **Hab keinen Kontakt mit negativen Menschen. Sie vergiften dich nicht nur, sondern sie verschließen dich für die Wahrheit. Sie beschäftigen dich mit etwas absolut Überflüssigem: Mit Negativität.**

Negativität blockiert uns. Negativität verschließt uns. Negativität frisst unsere Energie. Interessant in diesem Zusammenhang ist, was der Coach J.R. Zyla in seinem Buch *Und am 8. Tag*

erschuf der Teufel das Business (S. 99) schreibt: *Füttern Sie das System nicht mit noch mehr negativer Energie. Sie erinnern sich, der Teufel braucht negative emotionale Energie, und zwar Unmengen davon, um zu leben. Unsere negative emotionale Energie ist seine Nahrung! Nur Menschen können sie ihm zur Verfügung stellen. Ohne diese negative emotionale Energie würde der Teufel über kurz oder lang verhungern. Unsere Welt würde sich hingegen dramatisch verbessern.*
Und was ist das Schlimmste? Negativität verhindert Kontakt zu positiven Menschen und damit den Kontakt zu echter Fürsorge, denn **positive Menschen sind das Beste, was wir um uns haben können.**
Und was sagen die Inder? Nichts im Leben ist wichtiger als der Kontakt mit guten Menschen. **Gute Menschen bauen uns auf, schlechte Menschen bauen uns ab und können uns Kopf und Kragen kosten.**
Deshalb sollte uns stets die Frage begleiten: Ist dies ein guter Kontakt? Ist dies ein gutes Gespräch? Baut es mich auf? Ist es positiv oder negativ? Fühle ich mich leicht oder schwer dabei und danach?

Das Leben ist der beste Lehrer – ich habe diesen Erlebnissen zu verdanken, dass ich seitdem genau darauf aufpasse, welche Energie zwischen mir und anderen hin und her geht. Wird sie negativ, **ist** sie negativ, gehe ich. Ganz konsequent. D.h.: Das Erkennen der destruktiven Macht von Negativität bewirkte bei mir, dass ich sah, welch unschätzbaren Wert die Positivität hat. Sie führt nicht nur, wie wir sahen, zur Erkenntnis, sondern sie ist auch die Basis von Fürsorge: **Wer nicht positiv denkt, kann weder für sich noch für andere sorgen.** Damit ist er mit Sicherheit nicht der richtige Umgang. Der römische Philosoph Seneca (1-65 n. Chr.) sagt dies ganz deutlich in seiner Abhandlung mit dem bezeichnenden Titel *Über die Seelenruhe*: *Vor allem sollte man meiden die Unfrohen und alles Kritisierenden, denen durchaus jeder Grund zu klagen willkommen ist. Denn* sie bringen uns um unsere Seelenruhe. Was Größeres könnten wir verlieren? **Deshalb ist es ein wichtiges Ziel der Fürsorge, innere Ruhe zu erlangen.** Und natürlich möchte ein positiver Mensch für sich und für andere sorgen. Leider kann man aber in den seltensten Fällen für negativ Denkende sorgen, denn sie verwandeln nicht selten alles Positive in Kritik und Klagen (siehe weiter unten die Beispiele von Sven, Dorle und Fausto). Das Positive, das sie bekommen, verwenden sie leider dazu, weiterzumachen wie bisher, denn: Das Klagen hat sich ja gelohnt, sie haben Aufmerksamkeit, Zuwendung und Engagement bekommen.

Wie gefährlich schlechte Freunde sind, macht ein Bericht der Financial Times Deutschland von Tim Bartz vom 26.6.2012 deutlich: *Lange Zeit stand Ezra Merkin auf der Sonnenseite des Lebens. 1953 als Sohn eines berühmten New Yorker Bankers und Philanthropen in die jüdische Oberschicht der Stadt hineingeboren, wurde er später selbst zu einem einflussreichen Manager der US-Finanzszene. (...)*
Parallel ließ es sich der „Renaissance-Mann", als der er sich angesichts seiner Versiertheit in den unterschiedlichsten Themengebieten selbst bezeichnet, privat gut gehen. Etwa, indem er 1995 für 11 Mio. Dollar eine 18-Zimmer-Maisonettewohnung an der Park Avenue kaufte. Zum Ausspannen ging es in die Feriendomizile Atlantic Beach und Colorado. Seine Sammlung von Bildern des Expressionisten Mark Rothko verkaufte er 2008 für schlappe 320 Mio. Dollar.
Jetzt ist die Glückssträhne gerissen. Merkin muss Opfern des Superbetrügers Bernard Madoff binnen drei Jahren 405 Mio. Dollar (323 Mio. Euro) Schadensersatz zahlen, wie Eric Schneiderman, Generalstaatsanwalt des US-Bundesstaates New York, am Sonntagabend mitteilte. „Diese Vereinbarung verhilft den Opfern zu Gerechtigkeit", so Schneidermann.
Bei seinen Anlegern hatte Merkin 2,4 Mrd. Dollar eingesammelt, die er bei Madoff investierte. Nach Angaben der Staats-

anwaltschaft wusste er zwar nichts von Madoffs gewaltigem Anlagebetrug, er schlug aber alle Warnungen in Zusammenhang mit dessen riskanten Investitionen in den Wind, um riesige Honorare einzustreichen – eben jene 405 Mio. Dollar, die er jetzt zurückzahlen muss.

Soweit der Bericht. Ergänzen muss man aber, dass Bernhard Madoff PRIMÄR Freunde betrogen hat, wodurch diese zum Teil ihr gesamtes Vermögen verloren haben. Und dass Ezra Merkin Warnungen bezüglich Madoff in den Wind schlug, ist angesichts der Tatsache, dass es die US Finanzaufsichtsbehörde trotz vieler Hinweise auch tat, kein Wunder. Bernhard Madoff hatte alle um seinen Finger gewickelt, hinters Licht geführt und reihenweise betrogen.

Wie schlimm dies für viele war, sehen wir an seinem Sohn Mark, der durch den Riesenbetrug seines Vater, der 50 Milliarden Dollar veruntreute (!!!), in eine derart aussichtslose Situation kam, dass er sich das Leben nahm, obwohl er Frau und Kinder hatte.

Damit wird erschreckend deutlich, wie gefährlich schlechte Freunde sind, wie gefährlich Negativität ist.

SCHUTZ VOR NEGATIVITÄT

Es gibt nur zwei Möglichkeiten, sich vor Negativität zu schützen: Entweder, wie gesagt, zu gehen oder – wenn dies überhaupt möglich ist – es anzusprechen.

So spreche ich es in Gruppen sofort an, wenn ich spüre, dass jemand das Negative genau, das Positive aber kaum – wenn überhaupt! – hört.

So waren Sven und Dorle in einer meiner Paargruppen. Dorle war voller Negativität, Sven wusste alles besser. Dorle war, wie sich herausstellte, nur in die Gruppe gekomken, um sich zu beweisen, dass ihre Ehe mit Sven zu Ende sei. Alle bisherigen Therapien, so sagte sie, hätten nichts gebracht, das hier bei mir sei ihr letzter Versuch – der aber auch keine wirkliche Chance hätte.

Dorle war voller Vorwürfe Sven gegenüber und wollte nichts ändern. Beide verbreiteten sehr viel Negativität und sowohl ich als auch die Gruppe versuchten, dies zu ändern. Die beiden waren und blieben aber unerreichbar. Das sagte ich ihnen. Da stand Dorle plötzlich auf und ging mit den Worten, die Gruppe brächte ihr nichts – und Sven folgte ihr. Wir waren alle zunächst verblüfft, dann aber sichtlich und spürbar erleichtert. Sven und Dorle hatten eine Negativität verbreitet und eine Blockade bewirkt, die nun plötzlich verschwunden waren. Die Gruppe verlief nach ihrem Weggehen mit einer Leichtigkeit, Herzlichkeit, Achtsamkeit und Nähe, die durch die Anwesenheit der beiden so nicht möglich gewesen wären.

Ein ähnliches Beispiel ist Fausto. Er saß mit einem äußerst finsteren Gesicht in der Gruppe und drückte deutlich aus, wie negativ er dachte. Die Gruppe und ich bemühten uns, ihn aus dieser Negativität herauszuholen. Er kam tatsächlich heraus, sein Gesichtsausdruck veränderte sich sogar. Wir alle dachten, er hätte es geschafft. Es war aber nur von kurzer Dauer: Wenige Tage nach dem Ende der Gruppe, für die er sich aufs Herzlichste bedankte und in der er richtig froh und erleichtert wirkte, schickte er mir eine Mail mit dem Inhalt, er wolle nicht wiederkommen.

Ganz anders verhält sich dagegen Roland. Auch er war zu Beginn der Gruppe eher negativ. Er kritisierte dieses und jenes, stellte sich gerne über alle und wusste manches Mal alles besser. Dies ging so weit, dass ich am zweiten Tag eine deutliche Grenze setzen musste. Freundlich, aber klar. Im Gegensatz zu Sven und Dorle konnte Roland die Grenze gut annehmen. Er sah ein, dass er etwas weit gegangen war, und entschuldigte sich von Herzen. Das hinderte ihn aber nicht daran, immer wieder in sein altes Verhalten zu verfallen. Aber mit einem kleinen Witz, mit einer kleinen Bemerkung konnte ich ihn darauf hinweisen und es blieb leicht zwischen uns. Viele in der Gruppe, es war eine Männergruppe, hatten ihre Probleme mit Roland. Ich aber hatte das sichere Gefühl, es würde gut gehen. Und es ging gut.

Er stellte mehrfach Verrat und Treue auf und konnte sehen beziehungsweise erleben, wie sehr der Verrat ihn im Griff hatte (hier gab es zum Beispiel immer wieder ein Handgemenge, wie ich weiter oben erwähnt habe). Natürlich schaute Roland immer wieder über die Dimension dieses Themas hinweg, doch mit einer kleinen Anmerkung konnte ich ihn auf seine Versuche der Vermeidung hinweisen. Jedes Mal nahm er dies dankbar, bescheiden und positiv (!) an.

Roland löste sein dickes Thema mit Verrat, kam zur Treue und wird heute von allen gemocht und geachtet. Er hat es absolut verdient, denn er ist ein guter, mutiger Mann mit viel Durchhaltevermögen.

Ganz ähnlich verhielten sich Helmut und Martha. Auch sie waren stark von Negativität bestimmt. Aber auch ihnen war es wie Roland gegeben, Dinge mit Humor und Leichtigkeit anzunehmen. So gelangten sie, die vor nicht allzu langer Zeit noch kurz vor der Scheidung standen, zu einer guten Beziehung. Sie stellten die Positivität und die Negativität auf (*das heißt: Jeweils ein Gruppenteilnehmer spielte sie, einer die Negativität und ein weiterer die Positivität vgl. auch den Anfang von Kap. 6*) und beide staunten nicht wenig, wie nahe die Negativität ihnen war, wie sehr sie ihr Handeln bestimmte, wie sehr sie sie unterschätzt hatten. Ich musste sie sogar bitten, diese Aufstellung dreimal zu wiederholen. Sie konnten aber ihre enge Verbindung zur Negativität lösen, zur Positivität kommen und somit Stück für Stück eine neue, tragfähige Basis für ihre Ehe aufbauen. Ich habe sie in der Gruppe Helden genannt, denn sie haben durch ihr Durchhaltevermögen, durch ihre Herzlichkeit, durch ihre Achtung, aber besonders durch ihren Humor Großes geleistet.

Und sie zeigen uns, genauso wie Roland, wie wir Negativität auflösen können. Es bedarf dazu der soeben erwähnten Eigenschaften, die so wichtig sind, dass ich sie noch einmal nenne: **Humor, Achtung, Durchhaltevermögen, Herzlichkeit. Diese zusammen ergeben Fürsorge.** Roland, Helmut und Martha haben bestens für sich gesorgt, denn sie haben für sich und ihre Familien ein frohes, glückliches und positives Leben aufgebaut. Das sind große Leistungen, an denen sich alle, die sie miterleben durften, sehr erfreuten und sehr berührt waren. Denn sie machten uns deutlich, was alles möglich ist, und wie viel wir erreichen können. Wie viel Frieden wir schaffen, wir erschaffen können. Dazu passt sehr gut die Aussage meines verehrten Professors Carl Friedrich von Weizsäcker (1912-2007): *Friedfertig ist, wer Frieden um sich entstehen lassen kann. Das ist eine Kraft, eine der größten Kräfte des Menschen.*

6. JA UND NEIN

In der Bioenergetischen Analyse kennt man die menschliche Struktur, die bedingt, dass man nicht Nein sagen kann. Menschen mit dieser Struktur zeichnen sich zum Beispiel auch dadurch aus, dass sie immer wieder mit Gewichtsproblemen zu kämpfen haben. Einfach deswegen, weil auch hier ein Nein in der Kindheit nicht erlaubt war. Das Kind musste viel essen, musste aufessen, durfte nicht auf seinen Körper, sondern musste auf die Mutter hören. Bei dieser Struktur, man nennt sie die masochistische, ist Widerrede verboten, dafür Schlucken angesagt. Dies geht Menschen so in Fleisch und Blut über, dass sie gar nicht mehr merken, wie sehr sie schlucken, wie es ihnen verwehrt ist, dann nein zu sagen, wenn sie es sagen müssten – aber leider nicht dürfen.

Ein gutes Beispiel hierfür ist Bettina. Bettina ist eine sehr intelligente, differenzierte, sozial kompetente, hübsche junge Frau. Sie hat aber zwei Schwachpunkte: Sie darf keine Fehler machen und sie hat kein Nein. Dass sie keine Fehler machen darf, war bereits mehrfach Thema, und sie kann sich nun in der Gruppe bereits melden, ohne Angst zu haben, dass sie etwas Falsches sagt.
Mir fiel aber auf, dass sie sich nicht abgrenzen konnte, dass sie kein Nein hatte. Als ich ihr dies sagte, hörte sie interessiert und aufmerksam zu, ich spürte aber, dass es nicht so recht ankam. Also schlug ich ihr vor, eine Aufstellung zu machen, d.h. jemanden in der Gruppe zu bitten, sie zu spielen, ein Zweiter sollte das Ja und ein Dritter das Nein repräsentieren.
Aufstellungen sind so hilfreich, weil sie Unbewusstes dadurch bewusst machen, dass es SICHTBAR wird – so auch in diesem

Fall. Bettina stellte das Nein nicht sehr weit von sich, das Ja aber in einiger Entfernung auf. Dies war, wie Bettina sich sah. Es entsprach aber überhaupt nicht ihrer unbewussten Realität. Diese zeigten dagegen alsbald die Protagonisten, die Darsteller von Ja und Nein. Kaum hatten alle etwas gesagt, stellte sich das Ja direkt vor sie und zudem auf einen Stuhl. Das Nein dagegen stieg aus der Aufstellung aus und setzte sich in die Stuhlreihe der Gruppenteilnehmer.
Damit wurde etwas absolut deutlich: Bettina durfte nur ein Ja, aber kein Nein leben. Das Ja bestimmte sie derart, dass sie im Grunde gar nichts anderes mehr sehen konnte, denn das Ja stand riesengroß vor ihr, versperrte ihr den Blick für und auf alles andere und alle anderen.

Dies war eine wichtige Erkenntnis für Bettina, machte sie „ja" deutlich, dass dieses Ja ihr gar nicht die Möglichkeit gab, irgendetwas anderes zu sehen, denn, so groß und breit wie es auf dem Stuhl stand, beherrschte es sie total. Diese Aufstellung veränderte viel in Bettinas Leben, denn es machte ihr zweierlei klar: Erstens, dass sie überhaupt kein Nein lebte und zweitens, dass ihr riesengroßes Ja ihr den Blick für jede andere Alternative und Möglichkeit versperrte. Damit war *dieses riesengroße Ja im Grunde gar kein Ja, sondern ein Nein, ein Nein zu sich selbst*! Bettina musste zu allem Ja sagen, das hatte ihre Mutter von ihr verlangt. Damit sagte Bettina aber ständig Nein zu ihren Gefühlen, zu Ihren Bedürfnissen und zu dem, was sie brauchte.
In einer darauffolgenden Aufstellung löste sie ihren Konflikt mit ihren Eltern, würdigte das Ja in seiner Stärke, kam zum Nein und ihr Verhalten beziehungsweise ihr Leben veränderte sich grundlegend.

Für uns ist diese Aufstellung deshalb bedeutsam, weil sie uns bewusst macht: **Wer kein Nein hat, besitzt auch kein wirkliches Ja.** Und warum? Weil wir sowohl das Ja als auch das

Nein brauchen, um uns vor uns selbst und anderen positionieren zu können. Wer immer nur ja beziehungsweise nein sagt, verschließt sich der Vielfalt des Lebens – und der Vielfalt seiner Gefühle. Keiner kann zu allem ja beziehungsweise nein sagen. Für jeden gibt es Dinge, die er mag und Dinge, die er nicht mag. Wer immer nur ja oder nein sagt, lebt einen Teil seiner selbst nicht – psychologisch gesprochen: DARF ihn nicht leben und kann deshalb nicht für sich sorgen.
Deshalb besteht Fürsorge bezüglich des Ja und des Nein darin, dass ich mich fragen KANN:

1. Darf ich spüren, was ich will?

2. Darf ich es sagen?

3. Darf ich Dinge – oder gar Menschen! – ablehnen?

4. Hab ich ein ECHTES Ja oder ist dieses mein Ja nur ein Zeichen dafür, dass ich kein Nein habe?

5. Habe ich ein schlechtes Gewissen, wenn ich nein sage?

6. Muss ich ein Nein ewig rechtfertigen?

7. Kann ich nein sagen, wenn ich satt bin und nicht mehr essen möchte?

Hier ist Fürsorge aufs Engste mit Freiheit verbunden, denn wer nicht spüren darf, was er will beziehungsweise was er empfindet, ist nicht frei. Vielmehr wurde ihm seine Freiheit genommen. Kein Wunder, dass so viele Menschen frei **von** sein wollen. Sie wollen frei sein **von** dem Zwang, sich nicht spüren zu dürfen. So ist Freiheit **von** alten Zwängen die Voraussetzung für Freiheit **für** neue Ziele, Freiheit **für** das Recht zu entdecken, was ich wirklich will und die Freiheit, wissen zu DÜRFEN, was ich wirklich brauche – zum Beispiel mich zu leben und glücklich zu sein.

MAßHALTEN

Vor einiger Zeit kam über das Internet folgender Spruch zu mir: *Learn to speak what you feel, and act what you speak – lerne zu sagen, was du fühlst, und handle so, wie du sprichst.* Man könnte diesen Spruch ähnlich verstehen wie den berühmten Satz vieler Therapien: „Lebe dein Gefühl!"
Falsch verstanden, sind beide Sätze so sinnlos als würde man sagen: „Tue stets, was du willst!"
Stets zu sagen, was man fühlt, immer sein Gefühl zu leben und immer zu tun, was man gerade will, kann nicht nur der Wahnsinn, es kann tödlich sein. Es gibt in der Welt noch immer viele Regimes, bei denen die Wahrheit sagen mit Folter und Tod bestraft wird. Da hilft es überhaupt nichts, wenn ich behaupte, das sei doch gerade mein Gefühl gewesen. Und jemanden umzubringen, weil dies gerade mein Gefühl ist beziehungsweise war, und ich stets tue, was ich will, kann ähnlich böse enden. Deshalb ist obige Aufforderung ganz anders zu verstehen: *Finde heraus, was du wirklich fühlst, sprich die Wahrheit und handle entsprechend dem, was du sagst* – und dies bedeutet NICHT, einfach ohne Sinn und Verstand sein Gefühl zu leben und zu tun, was einem gerade einfällt.
Es aber ADÄQUAT sagen und in die Tat umsetzen zu können, für sich und andere gut zu sorgen, ist dagegen eine Leistung.

So ist es eine Leistung, wenn Menschen ihr Nein entdecken und es überhaupt einmal sagen können. Der britische Premierminister (1997-2007) Tony Blair betont die Bedeutung des Nein, wenn er sagt: *Die Kunst der Führung besteht darin, nein zu sagen. Ja zu sagen, ist dagegen einfach.*

Deshalb ist es wunderbar, wenn Teilnehmer im geschützten Rahmen der Therapie so häufig sie nur können, nein sagen. Führt der Therapeut gut und weiß die Gruppe, worum es geht, dann freuen sich alle, wenn jemand eine völlig neue Entwicklung macht und ständig nein sagt. Außerhalb einer Gruppe sieht es aber schon ganz anders aus. So entdeckte Wilhelm im Männerseminar sein Nein. Es war ein wichtiges Erlebnis für ihn, denn durch seine Erziehung war er zum Jasager geworden. Nun sagte er nein, wo immer er konnte und alle freuten sich darüber, denn sie wussten, welch ein wichtiger Schritt dies für ihn war.

Wilhelm differenzierte aber nicht und verhielt sich deshalb Zuhause seiner Frau gegenüber genauso wie in der Gruppe. Deshalb antwortete er ihr, als er nach Hause kam, und sie ihn interessiert fragte, wie es gewesen sei, völlig unvermittelt und völlig inadäquat: „Nein, ich sage nichts!" Damit stieß er seiner Frau natürlich vor den Kopf, denn sie wusste gar nicht, wie sie diese Zurückweisung und diese unvermittelte Veränderung seines Verhaltens einordnen sollte. Völlig adäquat fragte sie deshalb: „Was ist denn passiert, dass du plötzlich so unfreundlich bist?" Worauf Wilhelm wie ein trotziges Kind erwiderte: „Ich sagte doch nein. Nein, ich sage nichts. Nein, ich lasse mich nicht verhören!" Na ja, kein Wunder, dass es da zum Streit kam.

Das entscheidende Wort ist bereits gefallen: „Trotz". In der Trotzphase, die vom zweiten bis zum vierten Lebensjahr dauert (wobei die Zeiten sehr schwanken können), entdeckt das Kind sein Nein und sein Ich. Wer Kinder in dieser Zeit erlebt hat, erinnert sich, wie sie in jeder passenden und unpassenden Situation nein sagen. Ich habe es schon erlebt, dass Kinder gefragt wurden: „Möchtest du …", worauf diese bereits mit nein antworteten. Hörten sie aber, wie der Satz zu Ende ging, nämlich: „ein Stück Schokolade?", dann antworteten sie völlig unbekümmert und froh: „Oh ja!"

Genau diese Phase entdeckt jemand wieder, der in Kontakt mit seinem Nein kommt. Er hat plötzlich auch den Wunsch, zu jeder passenden und unpassenden Gelegenheit nein zu sagen – ebenso wie Wilhelm.

Hier ist es aber wichtig, Maß zu halten. Denn überspannen wir den Bogen, dann kommen wir in eine so genannte *NTR, eine negative therapeutische Reaktion.* D.h. anstatt Befreiung und Freude erleben wir Enttäuschung und Ärger, die leicht zu der falschen Schlussfolgerung führen können, mit dem Nein habe man doch nur Probleme. Wie sagte aber der weise Paracelsus (1493-1541) so wahr? *Alles ist Gift, nur die Dosis macht, dass Gift nicht Gift ist.*

So ist es die Dosis, in der wir unser Nein verwenden, die bestimmt, ob unser Nein uns Freude oder Ärger bringt. Natürlich kann ich in jeder passenden und unpassenden Gelegenheit nein sagen, es kann mir aber leicht – mindestens! – den Ruf einbringen, man könne mich nicht ganz ernst nehmen, denn ich sage ja (!) zu allem nein. Diese Haltung kann mich sogar der Lächerlichkeit preisgeben, wenn jemand mich durchschaut und deshalb eine Frage an mich so stellt, dass das Nein, mit dem ich voraussichtlich antworten werde, genau in seinem Interesse ist.

Deshalb sollten wir unser Nein zwar finden, aber genauso wenig wie Kinder in der Trotzphase oder Jugendliche in der Pubertät darin stecken bleiben. Wir sollten durch unser Nein unbedingt ein MEHR an Freiheit bekommen und ja kein weniger.

Deshalb sollten wir Maß halten. Denn **Fürsorge ist Maß zu halten.**

So sollten wir genau spüren können und DÜRFEN, was wir empfinden, was wir wollen, was gut für uns ist. **Wir sollten aber auch spüren, was zu sagen für uns gut ist.** Einfach etwas zu sagen, weil es gerade „meine Wahrheit, mein Gefühl" ist, stellt noch keine Leistung dar und ist auch noch kein Zeichen von Befreiung.

Aber genau zu spüren, was mir wichtig ist und es so zu sagen, dass es sowohl für mich als auch für mein Gegenüber gut ist, das ist wahrlich eine stets anzustrebende Leistung, die man nicht überbewerten, die man nicht häufig genug üben kann.

DAS JA UND DAS NEIN IN DER ARBEIT

Das Ja und das Nein sind auch sehr wichtig im Berufsleben. In der heutigen Zeit mit den großen Herausforderungen der Globalisierung werden an die Arbeitnehmer immer höhere Anforderungen gestellt. Normal zu arbeiten ist immer weniger ausreichend. Es sind die Dauer-Spitzenleistungen, die heute gefordert werden. Wie sich dies auswirkt, sehen wir daran, dass seit 1994 die Zahl psychischer Erkrankungen um 120% gestiegen ist, wie der „Fehlzeiten-Report 2012" der AOK feststellt (Stern Nr. 35, 2012, S. 54).

Arbeitgeber und Arbeitnehmer müssen erkennen, dass die „Dauerverfügbarkeit" der Mitarbeiter durch Handys, Laptops, Smartphones auch eine Dauerbelastung ist. Menschen müssen abschalten können. Können sie das nicht, DÜRFEN sie das nicht, weil sie glauben, sonst nicht mehr den Firmenansprüchen zu genügen und möglicherweise entlassen zu werden, dann droht der Burn-Out oder andere Anzeichen der psychischen Erschöpfung.

Deshalb müssen Arbeitnehmer ein gutes Ja haben, sie müssen klar sagen können, was sie gerne tun und tun können. Sie müssen aber auch ein klares Nein, ein klares UND freundliches Nein besitzen, um sich vor Krankheit und ihre Firma vor vermeidbaren Kosten zu bewahren.

In dem Artikel des oben zitierten Magazins Stern mit dem bezeichnenden Titel *Wie uns die Arbeit verführt* wird eine sehr wichtige Liste aufgeführt, wie Arbeitnehmer mit ihrem Nein umgehen sollten. Ich finde sie so wichtig, dass ich sie vollständig zitiere (a. a. O. S. 58):

Mut zum „Nein!"

Nein zu sagen fällt schwer. Die Furcht, als Arbeitsverweigerer zu gelten, ist groß. Doch wer seine Kräfte überschätzt und sich permanent übernimmt, nutzt auch seinem Unternehmen auf Dauer wenig.

1. *Sagen Sie nicht sofort Ja. Wenn neue Herausforderungen an Sie herangetragen werden, überlegen Sie: Wie ausgelastet sind Sie? Können Sie das neue Projekt in Ihrer regulären Arbeitszeit überhaupt schaffen?*

2. *Rechnen Sie mit Gegenwind. Kein Chef ist erfreut, wenn Aufgaben nicht sofort erledigt werden. Begründen Sie Ihre Ablehnung.*

3. *Nein zu sagen bedeutet auch, auf etwas zu verzichten: auf Anerkennung, Lob, womöglich auf eine finanzielle Gratifikation.*

4. *Verabschieden Sie sich von der Illusion, irgendwie bekämen Sie schon alles hin. Wenn Sie sich beruflich mehr engagieren, haben Sie weniger Zeit für Freunde und Familie. Sie belasten automatisch Ihr Privatleben.*

5. *Grenzen zu setzen ist in einer flexiblen Arbeitswelt eine Schlüsselqualifikation. Nur so kann Ihr Chef erkennen, wann er Sie überlastet.*

6. *Treffen Sie den richtigen Ton: Wenn Sie etwas ablehnen, dann machen Sie das freundlich, aber bestimmt. Jammern*

Sie nicht herum. Aber lassen Sie sich auch nicht von Ihrer Entscheidung abbringen.

7. Machen Sie Ihrem Chef ein Gegenangebot, wann Sie stattdessen die Zusatzaufgaben erledigen können.

8. Stellen Sie Zeitlimits auf: Wenn Sie schon am Wochenende oder abends arbeiten, dann begrenzen Sie diese Zeit. Viel zu schnell werden aus einem „Ich check mal eben meine Mails" drei Stunden am Computer.

9. Setzen Sie Prioritäten. So akribisch, wie Sie Ihre Arbeit planen, sollten Sie auch Zeit für die Erholung einkalkulieren.

10. Reagieren Sie rechtzeitig, wenn Sie spüren, Ihr Leben gerät aus der Balance. Sagen Sie nicht erst „Nein!", wenn es zu spät ist.

Die Autorinnen dieses Textes, Silke Gronwald und Doris Schneying, machen deutlich, wie wichtig ein Nein ist. Sie heben aber auch hervor, wie wichtig es ist, seine Wünsche, seien sie nun positiv oder negativ, freundlich beziehungsweise mit dem richtigen Ton auszudrücken. Gespräche sollten stets Gemeinsamkeiten aufbauen und gute Beziehungen bewahren beziehungsweise festigen. Das Wichtigste dabei ist das Gespür dafür, was man wie wo sagen und wie weit man gehen kann. Hierbei ist ein sicheres Taktgefühl eine große Hilfe.

Mein Nein zu leben sollte deshalb stets eine Übung in Taktgefühl sein. Lebe ich mein Nein stets verbunden mit einem sicheren Taktgefühl, dann bin ich eine Freude sowohl für mich als auch für meine Mitmenschen, denn mein Nein wird durch das Taktgefühl nicht zu etwas Trennendem, sondern verbindet in einer Leichtigkeit, die Freude erzeugt und am Ende Erfolg bedingt. Womit das klug gelebte Nein zur sinnvoll gelebten Fürsorge wird.

7. PERFEKTIONISMUS UND VOLLKOMMENSEIN

Am 20.7.2012 schrieb Claudia Wanner folgendes in der Financial Times Deutschland: *Fast liebevoll streichelt Lu Jiang De über das große, weiße Porzellanobjekt. „Das ist mein Meisterstück", haucht er. „Es hat die perfekte Form. Ich wollte es nicht verkaufen." Die vier Seiten der eineinhalb Meter hohen Bodenvase stehen im perfekten rechten Winkel zueinander, das handgearbeitete Porzellan zeigt keine noch so kleine Unregelmäßigkeit. Für 2 Mio. Yuan (250 000 Euro) hat Lu schließlich doch zugestimmt. Auch weil der Käufer, ein Künstler, der das weiße Porzellan bemalen will, das Objekt erst abholt, wenn es Lu zu einem zweiten vollendeten Stück inspiriert hat.*
Daran arbeitet der 52-Jährige nun regelmäßig. Dutzende Bodenvasen stehen in seiner zweistöckigen Werkstatt am Rande von Jingdezhen, eine Flugstunde westlich von Schanghai. Sie alle sind in seinen Augen minderwertig: „Wenn ich nicht in der richtigen Stimmung bin, gelingt mir nichts. Dann gehe ich in den Garten und ziehe Gemüse." Das gibt es mittags für ihn und seine drei Gehilfen. Reisen, Ausflüge, Wochenende? Fehlanzeige. Lu ist jeden Tag in der Werkstatt. Er hat seine Heimatstadt, das Zentrum der chinesischen Porzellanproduktion, in seinem Leben erst dreimal verlassen.
Der Welt, dem Alltäglichen entrückt, ständig auf der Suche nach Perfektion: Lu verkörpert wie wenige im Hochgeschwindigkeits-China die alten konfuzianischen Ideale.

Die Autorin berichtet weiter, die Designerin Jiang Qiong Er suche alte Meister wie Lu Jiang in ganz China, denn mit ihnen drohe nach Bürgerkrieg, Kulturrevolution und 30 Jahren rasanter Wirtschaftsentwicklung endgültig ein Teil der alten chinesischen Kultur auszusterben. Diese hohe Kultur der alten Meister Chinas wolle die Designerin retten. Und so betreibe sie eine Boutique auf Shanghais Edel-Einkaufsmeile, in der sie Kostbarkeiten wie Vasen von Meister Lu Jiang De mit einer Wandstärke von einem halben Millimeter zum Stückpreis von 1000 Euro verkauft.

Dieser Artikel beschäftigte mich sehr, denn ich bin ein großer Bewunderer der chinesischen Kultur. Ich liebe die Pagodenbauweise der dortigen Häuser mit den wundervoll geschwungenen Dächern und bewundere die alten chinesischen Möbel, die so unendlich schlicht und gleichzeitig so formvollendet sind. Ich liebe das chinesische Porzellan mit den so unvergleichlich dekorativen Schriftzeichen in blau auf weißem Grund und bewundere die hohe chinesische Kunst der Lackverarbeitung. Es ist eine chinesische Erfindung, Gegenstände in Booten auf dem Meer zu lackieren, denn so kann kein Staub die perfekte Verarbeitung beeinträchtigen.
All dies war mir irgendwie im Hinterkopf, als ich in den nachfolgenden Gruppen immer wieder mit dem Thema Perfektionismus konfrontiert wurde und es bildete die Voraussetzung für eine hilfreiche Lösung.

PERFEKTIONISMUS

Seit Jahren habe ich immer wieder Seminarteilnehmer, die unter Perfektionismus leiden. Sie schalten innerlich ab, wenn ich davon rede, dass nur derjenige Erfolg haben kann, der ein Recht hat, Fehler zu machen – wie wir bereits in früheren Kapiteln sahen. Für Menschen, die unter Perfektionismus leiden, gibt es die Freiheit, Fehler machen zu dürfen, nicht. Sie müssen alles richtig machen und verbrauchen deshalb unendlich viel Energie. Sie haben fast immer Angst, wenn sie etwas tun und können auch deshalb nicht entspannen, weil sie wissen, dass die nächste Aufgabe bald kommt, die sie ebenfalls perfekt erledigen müssen. So ein Leben ist in vielerlei Hinsicht furchtbar, besonders aber deshalb, weil diese Menschen nicht für sich sorgen, keine Fürsorge leben können oder gar leben dürfen.

In einer Gruppe war ein sehr aggressiver, unklarer und kämpferischer Mann, Dietbert. Nun kam ein anderer Mann, Felix, aus eben dieser Gruppe auf die Idee, mit Dietbert ein gemeinsames Geschäft aufzubauen. Dies ging gründlich schief. Dietbert hörte unter anderem aus diesem Grund die Gruppe auf und Felix blieb mit vielen offenen Fragen zurück.

Besonders beschäftigte ihn aber die Frage: Wie konnte es sein, dass er Dietberts Aggressionen so überhaupt nicht gemerkt hatte und, wie sich nun herausstellte, die Warnung vieler seiner hervorragenden Freunde in den Wind geschlagen hatte? Ein Mann aus der Gruppe fragte Felix ganz direkt: „Wie konntest du Dietberts Gefährlichkeit so wenig sehen, beziehungsweise so übersehen?"

Da sagte ich: „Ich denke, dies ist Dietberts Geschenk an dich. Denn er macht dir absolut deutlich, dass du keinen Riecher für Gefahren hast." Und was kam heraus? Felix' Vater war äußerst gefährlich gewesen. Er hatte Felix geschlagen, schlecht behandelt, gedemütigt. Felix konnte in dieser entsetzlichen Atmosphäre nur überleben, indem er seine Gefühle abschnitt und nicht mehr spürte, was er brauchte, beziehungsweise was er fürchtete.

Ich vermutete hier ein großes Thema mit Fürsorge, da Felix kein Gespür für Gefahren und keinen guten Kontakt zur Sicherheit hatte. Ich ließ ihn deshalb die Gefahr und die Sicherheit, den Perfektionismus und die Leichtigkeit aufstellen. Kaum hatte Felix sich und die Instanzen aufgestellt, da packte ihn die Gefahr und presste ihn zusammen wie eine Autopresse. Und was ergab sich nun? Der Perfektionismus hatte ihn gerettet. Gefahr und Perfektionismus machten zudem deutlich, dass

Felix kein Recht hatte, Fürsorge zu leben, denn dann wäre es mit seinem Vater noch schrecklicher geworden.

Felix' Geschichte macht damit einen sehr wichtigen Zusammenhang deutlich: **Wer keine Fehler machen darf, kann *erstens* nicht für sich sorgen und *zweitens* leidet er häufig unter mehr oder weniger verstecktem Perfektionismus.** Der Zusammenhang von beiden wurde unmittelbar klar: Wenn ich für jeden Fehler bestraft werde, kann ich natürlich keine machen. Ich darf aber auch insofern nicht für mich sorgen, dass ich Neues ausprobiere, sondern kann nur das tun, bei dem ich die geringste Angst habe, etwas falsch zu machen, da ich sonst bestraft werde.

Was macht dagegen Meister Lu Jiang De, den wir im obigen Artikel von Claudia Wanner kennengelernt haben? Er macht unzählige nicht perfekte Vasen, um eine einzige vollkommene schaffen zu können. Darf er Fehler machen? Natürlich. Er muss sogar unzählige Fehler machen, um seine Meisterschaft, die gelebte Vollkommenheit ist, erreichen zu können.
Ich denke hier an die alten chinesischen Meister, die mit einem einzigen Pinselstrich einen perfekten Kreis malen konnten. Sie übten Jahrzehnte dafür, um diese Vollkommenheit zu erlangen. Wir kennen dies auch von dem berühmten italienischen Maler Giotto (1266-1337). Ähnlich wie J. G. Fichte (wir sahen dies im 2. Kapitel) wurde er in ärmlichen Verhältnissen geboren und von dem berühmten Maler Cimabue entdeckt, weil er so gekonnt die Schafe malte, die er hütete. Er lernte bei Cimabue und wurde nicht nur ein berühmter Maler, sondern auch der große Vorbereiter der Renaissance in Florenz. Papst Benedikt XII wurde auf ihn aufmerksam und schickte einen Gesandten zu ihm. In Florenz angekommen bat der päpstliche Bote den berühmten Maler um eine Probe seines Könnens. Da nahm Giotto ein Blatt Papier und einen Pinsel und malte darauf einen

vollkommenen Kreis. Für den Gesandten war dies ein unmittelbarer und deutlich sichtbarer Beweis seiner Meisterschaft.

Giotto war ein Wunderkind, aber auch er hat von dem Meister Cimabue lernen müssen. Und wer lernt, macht Fehler. Wer keine Fehler machen darf, wird zwar lernen, es aber kaum zur Meisterschaft bringen, denn wir erinnern uns: In Lu Jiang De's Werkstatt stehen Dutzende Vasen herum, die nicht vollkommen sind. Und was ist etwas, das nicht perfekt ist? Es ist etwas, das Fehler hat. Selbst ein so großer Meister wie Lu Jiang De muss, wie wir sahen, viele fehlerhafte, unvollkommene Vasen machen, bis ihm wieder ein Meisterstück gelingt.

Und genau dies dürfen Menschen nicht, die kein Recht haben, Fehler zu machen, weil sie für Fehler bestraft werden. Dass Kinder wegen Fehlern oder wegen einer schlechten Note in der Schule bestraft werden ist schrecklich. Was dieses Verbrechen an Kindern aber noch unerträglicher macht, ist, dass ihre Kreativität massiv eingeschränkt, wenn nicht gar zerstört wird. Denn zur Kreativität gehört es, planlos auszuprobieren, die gewagtesten Versuche zu machen und auch einmal völlig Sinnloses zu wagen. Wie sagte Friedrich Nietzsche in *Also sprach Zarathustra? Man muss noch Chaos in sich haben, um einen tanzenden Stern gebären zu können.* Und eben dieses kreative Chaos wird Kindern verboten, die keine Fehler machen dürfen.

VOLLKOMMENHEIT / VOLLKOMMENSEIN

In meinen Gruppen lasse ich immer Gegensatzpaare aufstellen, wie zum Beispiel Zufriedenheit und Unzufriedenheit, Glück und Unglück, Vertrauen und Misstrauen, Wahrheit und Unwahrheit und vieles Ähnliche mehr.
Bis zur Arbeit von Felix stellte ich immer als Gegensatz zum Perfektionismus Freiheit, Leichtigkeit, Erfolg beziehungsweise

Kreativität auf. Erst später kam ich auf Vollkommenheit und Vollkommensein.
Vollkommenheit ist der Maßstab, also das Allgemeine und damit das Göttliche.
Vollkommensein bezieht sich auf den ANTEIL, den jeder für sich an der Vollkommenheit erreichen kann. Somit kann jeder zu jeder Zeit vollkommen sein, wenn er das Göttliche in sich verwirklicht – **beziehungsweise sich JETZT so annimmt, wie er ist**, das heißt, wahrhaft den Satz annimmt: Ich bin ich und ich bin gut. Viele Heilige meinen, dies geschehe ganz unvermittelt – deshalb können wir alle damit rechnen und darauf hoffen! Das gesamte Leben ist ein ewiges Streben nach Vollkommensein und deshalb steht in der Bibel, der Mensch sei das Abbild Gottes, denn das Vollkommensein bringt ihn zur Vollkommenheit Gottes.

Bei Felix spürte ich nun, dass eine Aufstellung mit Freiheit nicht ausreichte. Nur Perfektionismus aufzustellen war mir „zu unscharf", besonders auch deshalb, weil Felix ein sehr perfekter Mann ist. Er ist immer sehr gut gekleidet, hat eine sehr kultivierte Art, setzt sich sehr für andere ein und ist zudem sehr erfolgreich. Er hat sich zusammen mit seiner Frau eine hervorragende Ehe und einen sehr guten Kontakt zu seinen Kindern erarbeitet. Zudem hat er eine Firma aufgebaut, die sehr gut geht.
Hier einfach nur den Perfektionismus aufzustellen entsprach für mich nicht Felix' Realität. Deshalb bat ich ihn, zusätzlich zum Perfektionismus auch das Perfektsein im Sinne von Vollkommensein aufzustellen.
Diese Aufstellung machte viel deutlich, denn Felix musste vom Zwang und den Ängsten des durch den Vater bedingten Perfektionismus' zur Freiheit und Erfüllung des Vollkommenseins gelangen.
Nachdem Felix sein Thema mit seinen Eltern gelöst hatte, konnte er sich aus dem Würgegriff der Gefahr und des Perfek-

tionismus befreien und zum Vollkommensein, zum Erfolg, zur Leichtigkeit und zum Glück gelangen. Es war eine große Befreiung und Felix und seine Frau lebten sichtlich auf, denn Felix' Perfektionismus hatte nicht nur ihn, sondern auch seiner Frau und den Kinder immer wieder zu schaffen gemacht.

Ist der Perfektionismus aus dem Zwang entstanden, keine Fehler machen zu dürfen, so entspringt das Vollkommensein aus der Freiheit, sich SPIELERISCH entfalten zu können und aus dem Wunsch herauszufinden, was man alles kann, was alles möglich ist. Deshalb schafft das Vollkommensein Kontakt, der Perfektionismus macht dagegen – allein schon der vielen Ängste wegen – einsam.
Der Perfektionismus ist vom Zwang bestimmt, dass im Grunde nichts gut genug ist. Das Vollkommensein lebt von Kreativität und Freiheit. Das Vollkommensein entspringt dem Wunsch, etwas, womit man sich beschäftigt, in seiner Gesamtheit zu verstehen, auszuloten, so weit wie möglich zu beherrschen und auch völlig Neues ausprobieren beziehungsweise **riskieren** zu können. Vollkommensein ist der Wunsch des Menschen über sich hinaus zu wachsen, was immer mit Risiko verbunden ist. Außerdem herauszufinden, was alles in diesem unseren Menschsein an ungeahnten und zum Teil unglaublichen Fähigkeiten beinhaltet ist. Vollkommensein bedeutet deshalb auch auszuloten, wo die eigenen Grenzen liegen, wo die eigene Begrenzung endet und das Göttliche beginnt.

Perfektionismus führt zu dem, was C. G. Jung die Persona nennt, die äußere Hülle, die sich an die Umwelt anpasst. Der Begriff Persona stammt vom Lateinischen Verb *personare*, was wörtlich *durchtönen* bedeutet und die Maske bezeichnete, durch die die Stimme der Schauspieler tönte. Die Persona ist damit das außen Sichtbare, sozial Anerkannte eines Menschen.
Vollkommensein dagegen zielt auf das Selbst, auf unser wahres Wesen ab. Das Vollkommensein ist eine so starke Kraft,

weil es die Vorläufigkeit, die jeder Entwicklung eigen ist, akzeptiert. Es ist so stark, weil es mit Hingabe an die eigene Vorläufigkeit verbunden ist. Genau diese Hingabe macht die Vorläufigkeit zum Vollkommensein. Oder anders gesagt: Das Annehmen des eigenen Schicksals und die Hingabe an die Vorläufigkeit jeder Entwicklung führen zum Vollkommensein oder als Verwirklichung des Göttlichen zur Vollkommenheit.
All dies geschieht aber nicht mit der Verbissenheit des Perfektionismus', sondern mit dem verspielten Suchen und Riskieren, die dem Vollkommensein eigen sind.

Ein gutes Beispiel hierfür ist Frank, der es liebte, Sprachen zu lernen. Er konnte bereits Deutsch, Englisch, Französisch, Italienisch und Spanisch als es ihn reizte Russisch zu lernen. Dabei hatte Russisch nichts mit seiner Tätigkeit zu tun, denn er hat eine kleine Firma, die für den deutschen Markt produziert. So brachten ihm all die Sprachen hier erst einmal keinen Vorteil. Doch das Lernen von immer wieder neuen Sprachen hielt Frank geistig wendig, schulte sein Gedächtnis und machte ihn offen für völlig neue Kulturen, die er automatisch mit den Sprachen kennenlernte. Interessant fand ich hier wie Frank mit Vollkommensein umging: Er lernte alle Sprachen so weit, dass er sich gut unterhalten konnte. Er strebte insofern keinen Perfektionismus an, dass er keine Sprache perfekt sprach. Denn Frank war klug. Er wusste, dass es ihn unendlich viel Zeitaufwand und Anstrengung kosten würde, eine Sprache hervorragend zu sprechen. „In der Zeit, die ich benötige, um vom guten Sprechen zum sehr guten zu gelangen, lerne ich eine neue Sprache. Das ist effizienter und macht mehr Spaß!", meinte er.
Er lebte damit nach dem Pareto-Prinzip, das wir bereits im ersten Kapitel kennenlernten: Er investierte 20% Einsatz und erlangte 80% Sprachkenntnis. Für die restlichen 20%, um eine Sprache PERFEKT zu sprechen, hätte er 80% Energie einsetzen müssen. Und genau dies wollte er nicht. Er lebte SPIELERISCH SEINE Freiheit und SEIN Vollkommensein, die er

beide ebenso wie seine Sprachkenntnisse durch Perfektionismus nicht erreicht hätte.

Damit haben wir einen neuen Gesichtspunkt bezüglich des Vollkommenseins kennengelernt: **Wer vollkommen sein will, muss sich beschränken können**. Perfektsein gibt mir diese Freiheit der Selbstbeschränkung nicht, da ich nach den Vorgaben, den Maßstäben ANDERER handeln muss.
Frank dagegen konnte sich selbst beschränken. Er lernte eine Sprache so lange, bis er fand, dass es reichte. Dann war er froh und konnte sich einer neuen zuwenden. Frank litt nicht unter Perfektionismus, er musste keine Sprache absolut perfekt können. Er betrieb alles kreativ und spielerisch. Und noch etwas machte Frank: ER setzte fest, was er erreichen wollte. Er machte sich nicht von irgendwelchen Ansprüchen anderer abhängig. ER stellte fest, wann er für SEIN Dafürhalten mit einer Sprache gut genug umgehen konnte. Es störte ihn nicht, dass er Fehler machte. Das war seine spielerische Freiheit. Er sprach eine Sprache ohne den Zwang, perfekt sein zu müssen – und gerade dadurch war er vollkommen. Warum? Weil er bestimmte, was SEIN Ziel ist und ließ sich dieses nicht von anderen vorschreiben. Natürlich werden Millionen Menschen die verschiedenen Sprachen, die er spricht, besser, gekonnter, flüssiger sprechen als er. Aber nur wenige werden so viele Sprachen so leicht verwenden und so viel Freude dabei haben.

Was macht das deutlich? Etwas Erstaunliches: Der **Perfektionismus zwingt uns perfekt sein zu müssen – und beschränkt uns. Das Vollkommensein dagegen lässt uns, gibt uns die Freiheit**, verschiedene Stufen der Vervollkommnung zu erreichen und stets das Gefühl zu haben, froh zu sein und unser Potenzial zu leben. **Vollkommensein lebt von der Selbstbestimmung. Das ist Freiheit.**

Perfektionismus wird von der Fremdbestimmung geleitet, die uns der Freiheit beraubt, unser Tun kreativ, nein, schöpferisch zu gestalten.
Und noch einen gravierenden Unterschied stellen wir zwischen Perfektionismus und Vollkommensein fest: Perfektionismus zwingt uns zum Erfolg und nimmt uns die Freude an dem Erreichten, denn es ist ein Zwang, der uns bestimmt und vorantreibt. Dieser Zwang spannt innerlich an. Deswegen haben Perfektionisten ein großes Thema mit Wut, Aggressionen und Negativität.

Wie wir an Frank sahen, ist das Vollkommensein dagegen von Freude, von Leichtigkeit, von Spielerischem, von Positivem und von noch etwas Entscheidendem bestimmt: **Dem Recht anzukommen**.
Beim **Vollkommensein** ist der Umgang mit einer Materie, mit einem Fachgebiet erfüllend, weil er von Interesse, von Leichtigkeit und von Freiheit bestimmt ist. Voll-Kommen-Sein können wir auch so verstehen, dass wir bei unserer ureigenen Fülle angekommen sind. Angekommensein macht immer frei.
Und genau dieses Ankommen fehlt dem **Perfektionismus**. Wie wir an Frank sahen, KANN er wählen. Der Perfektionismus dagegen gesteht uns diese Freiheit nicht zu. Wir hatten sie nicht in der Kindheit, als unsere Eltern, beziehungsweise unsere Lehrer bestimmten, WAS wir WIE zu tun hatten und wir haben sie nachher nicht, denn dann bestimmt unser Über-Ich, unser innerer Maßstab, was wir zu leisten haben – und dass es nie genug ist.

Ist der Weg zum Perfektionismus ein Weg der Härte, des Gehorsams und des Müssens, so ist der Weg des Vollkommenseins ein zarter, ein spielerischer Weg – ein Weg der Geschmeidigkeit und des Sich-führen-Lassens. Der weise chinesische Dichter Shengyan (geb. 1931) formuliert den Weg zur inneren Quelle, zum Vollkommensein wunderbar: *Sei weich in deiner Übung. Denke den Weg als feinen, silbernen Strom, keinen Wasserfall. Folge dem Strom, habe Zuversicht in seinen Verlauf. Er wird seine eigene Bahn gehen, mäandert hier, rieselt dort. Er findet die Rinnen, die Spalten, die Einschnitte. Folge ihm bloß. Lass ihn nie aus dem Blick. Er wird dich ergreifen.*

Vollkommensein ist damit eng verbunden mit Fürsorge: Ich sehe mich, ich sehe die anderen, mein Blick geht vom Ich zum DU, zum WIR, zur Gesamtheit, zu Gott, denn nur die Ausrichtung auf das absolut Vollkommene, auf die Vollkommenheit, lässt mich Vollkommensein erlangen: Ich sehe, dass ich so, wie ich bin, vollkommen BIN.

Perfektionismus strebt den eigenen Sieg an. Perfektionismus bedeutet die andauernde Beschränkung auf das Erlangen einer fremden, einer Über-Ich-Vorgabe, damit DIESE ihr Ziel erreicht. Damit HABE ich, wenn ich etwas perfekt mache, mein Ziel erreicht.

Sehe ich dagegen, dass ich, so wie ich BIN, vollkommen BIN, dann hat dies ganz klar mit SEIN zu tun.

Womit deutlich wird, dass das Vollkommensein mit meinem SEIN, mit meiner Qualität, der Perfektionismus aber nur mit Haben, das heißt mit Quantität zu tun hat, die auf Dauer nie erfüllend ist.

So verfolgt der Perfektionist primär und eher egoistisch die eigenen Interessen.

Das Vollkommensein strebt dagegen keine einseitige Win-Situation an, sondern Win-Win-Win-Win-Situationen. D.h.: Meine Interessen sind wichtig, ebenso die meines Gegenübers und die der Gemeinschaft – und das Einhalten der Göttlichen Ordnung.

Perfektionismus geht vom Einzelnen aus, Vollkommensein sieht die Einheit aller, denn es ist der Kontakt zur Quelle, der mir deutlich macht, dass wir im Grunde alle eins SIND.

Dies sehe ich sehr deutlich in den Gruppen. Im Grunde sind die Themen alle sehr ähnlich. Es geht um Selbstwert, um Beziehung, um Kommunikation, um Sexualität, um Erfolg, um Glück und manchmal sogar um die eigene Beziehung zu Gott. Viele Aufstellungen haben ähnliche Inhalte. Viele Konflikte mit den Eltern sind ähnlich. Manche Lösungen ebenfalls. Und doch ist jeder Mensch, jedes Thema unendlich individuell. Diese Individualität meines Gegenübers zwingt mich regelrecht, genau hinzuhören, mir mehr und mehr Zeit zu nehmen, um herauszufinden, was genau diesen Menschen ausmacht. So komme ich in die paradoxe Situation, dass ich, je mehr Erfahrung ich habe, desto mehr Zeit brauche. Es ist diese unbeschreiblich faszinierende Individualität, die mich in ihren Bann zieht und gleichsam zwingt ihr länger, genauer, unvoreingenommener zuzuhören und dadurch zu verstehen, was sie ausmacht. Menschen sind unendlich kreativ, leider geht diese wunderbare Fähigkeit häufig mit der Zeit verloren. Deshalb sehe ich es als ein wesentliches Ziel von Erziehung, die Kreativität zu erhalten. Kinder sind unendlich kreativ und lachen – ich wiederhole es noch einmal! – sage und schreibe 400 Mal am Tag. Ab dem sechsten Lebensjahr, wenn sie in die Schule kommen, nimmt dies aber rapide ab.

Vollkommensein als eine Win-Win-Situation

Das Ziel von Therapie sollte also sein, dass **Menschen ihr Lachen, ihre Kreativität und damit im Grunde ihren Weg zu *ihrem* Vollkommensein finden**. Wie wir oben am Meister Lu Jiang De sahen, ist Vollkommensein eine Win-Win-Win-Win-Situation: Er freut sich an einer vollkommenen Vase, der Betrachter tut es, ebenso der Käufer und am Ende ist sein Land stolz, einen solch großen Meister hervorgebracht zu haben. Vollkommensein, Kreativität beziehungsweise die Verwirklichung der ureigenen Fähigkeiten kann zudem von unschätzbarem Wert sein, wie die folgende Geschichte beweist:

In China lebte einmal ein Bauer, der einem alten, hässlichen reichen Mann eine große Summe Geld schuldete, die er ihm nicht zurückzahlen konnte. Da sagte der Alte zu ihm: „Ich mache dir einen Vorschlag. Du gibst mir deine schöne Tochter zur Frau und ich erlasse dir im Gegenzug die Schulden." Der Bauer war entsetzt. Lieber würde er wegen seiner Schulden ins Gefängnis gehen, als diesem grässlichen Mann seine schöne und kluge Tochter zu geben. Da machte der Alte ihm einen weiteren Vorschlag: „Wir lassen das Los entscheiden", meinte er und zeigte auf die vielen Kieselsteine, die am Boden lagen. „Ich nehme zwei Kieselsteine, einen hellen und einen dunklen, tue sie in diesen Beutel, schüttle sie gut durch. Deine Tochter greift in den Beutel und zieht einen Kieselstein heraus. Ist es ein heller, so muss sie mich nicht heiraten und die Schulden sind erlassen. Ist es ein dunkler, heiratet sie mich und die Schulden sind ebenfalls getilgt."

Der Bauer besprach diesen Vorschlag mit seiner klugen Tochter und diese willigte ein, denn sie war sicher, dass es eine gute Lösung für sie geben würde.

Sie trafen sich mit dem alten, hässlichen Mann und dieser bückte sich, nahm zwei Kieselsteine vom Boden auf und tat sie in den Beutel. Als er dies machte, bemerkte die kluge junge Frau, dass der gerissene Alte nicht einen hellen und einen dunklen Stein in den Beutel tat, sondern zwei dunkle. Und wie reagierte sie?

Hier sollte der Leser sich einen Moment Zeit nehmen und sich überlegen, was er in dieser Situation getan hätte. Wie hätte er eine Win-Win-Win-Win-Situation herbeigeführt?

Reden, Fragen, Gestalten

Ein Problem vieler Menschen ist, dass sie nicht fragen, nicht reden dürfen und damit passiv sein müssen. Die Angst, abgelehnt, für dumm gehalten oder gar gemaßregelt zu werden, ist so groß, dass sie ihnen nicht nur die Sprache verschlägt, sondern sie gar nicht erst auf DIE IDEE kommen lässt, etwas zu fragen.

Sie machen sich damit das Leben sinnlos schwer. Ich denke hier an Svetlana, die aus dem früheren russischen Machtbereich zu einer Familie nach Deutschland kam. Sie konnte nicht gut Deutsch, hatte aber von ihrer Erziehung her nicht das Recht zu sagen, wenn sie etwas nicht verstand. Wurde ihr etwas aufgetragen und sie verstand es nicht, sagte sie trotzdem ja – und machte anschließend etwas, von dem sie ANNAHM, es könnte gemeint gewesen sein.

Ebenso räumte sie Dinge weg, ohne zu fragen, wohin sie gehörten. Kein Wunder, dass die Familie nicht immer glücklich war, wenn sie stundenlang etwas suchte, was Svetlana irgendwohin „gut aufgeräumt" hatte.

Immer wieder wurde ihr gesagt, sie könne alles ansprechen und sie MÜSSE fragen, wenn sie etwas nicht verstand, nicht wusste, oder nicht kannte. Es dauerte Jahre, bis Svetlana dies mehr und mehr umsetzen konnte. So verboten, so unbekannt und ungeübt war es, einfach Fragen zu stellen, dass sie es unbewusst eher vorzog, in naheliegende Konflikte zu geraten, als das elterliche Gebot nicht „dumm" zu fragen zu übertreten.

In meinen Gruppen fällt mir ebenfalls immer wieder auf, wie viele Menschen kaum, wenn überhaupt, etwas sagen. Auch dies ist eine Folge des Perfektionismus': Ihre Wortmeldungen, Fragen, Gedanken müssen so „perfekt", so klug, so vollkommen formuliert sein, dass sie gar nicht zu Wort kommen, weil sie ewig überlegen. Hier wird unmittelbar deutlich, wie Perfektionismus Menschen die Freude, die Freiheit und die Chance nimmt, die eigene Kreativität zu leben. Außerdem beraubt er sie der Möglichkeit, in Kontakt zu kommen und zusammen mit den anderen etwas so Lebendiges wie einen Gruppenprozess zu gestalten. Stattdessen sitzen sie in der Gruppe, sagen nichts und fühlen sich mit der Zeit immer schlechter.

Ich hole sie aus dieser beengenden Situation dadurch heraus, dass ich ihnen vorschlage, nach jeder dritten Arbeit einen Kommentar abzugeben. Dies macht ihnen zunächst richtig Angst. So war es auch bei Nannette. Sie saß in der Gruppe und ich spürte, wie sie immer mehr unter Druck kam. Da schlug ich ihr eben diese Übung vor. Dieser Vorschlag bedingte bei ihr, dass die vorherige Angst in Panik umschlug. Nach ihrer Arbeit verließ sie sogar den Gruppenraum. Ich bat eine Frau, nach ihr zu sehen und sie wieder in die Gruppe zu bringen. Nannette kam zurück und saß nun recht unglücklich da, verfolgte aber dennoch die Arbeit, die eine andere Frau machte. Da ich vermeiden wollte, dass sie noch mehr unter Druck geriet, sagte ich Nannette als diese Arbeit zu Ende war, nun sei es Zeit für ihren Kommentar. Völlig überrascht meinte sie: „Das ist noch nicht die dritte Arbeit!". „Stimmt", gab ich ihr Recht, „es ist aber die Arbeit, bei der du etwas sagen kannst." Nannette stoppte einen Moment, um dann einen sehr klugen, differenzierten und interessanten Kommentar abzugeben. Und dies gelang ihr bei jeder dritten Arbeit so gut, dass alle sich an ihren Beiträgen so freuten, dass sie klatschten. Am Ende der Gruppe ging Nannette bereits schon ganz locker mit ihren Kommentaren und ihren Wortmeldungen um. Sie hatte etwas Entscheidendes gelernt: Wie begabt sie ist, wie gut sie formulieren kann, wie zielsicher sie Dinge anspricht. Was vorher der blanke Horror war, hatte sich nun in Freude an ihrem Können verwandelt. Zudem hat Nannette bewahrheitet, was Henry Ford (1863–1947) sagte: ***Es gibt mehr Leute, die kapitulieren, als solche, die scheitern.***

Hierher passt auch sehr gut die Geschichte von Letizia. Sie war in einem Elternhaus aufgewachsen, wo Fehler überhaupt nicht erlaubt waren und entsprechend bestraft wurden. Kein Wunder, dass Letizia unter einem massiven Perfektionismus litt und kaum, wenn überhaupt, etwas sagen konnte. Am meisten hatte sie Angst, etwas Negatives zu sagen und deshalb abgelehnt zu werden. Ich schlug ihr deshalb vor, nach jeder dritten Arbeit etwas Negatives über mich und/oder die Gruppe zu sagen. Auch für Letizia war dieser Vorschlag zunächst der „Grusel" schlechthin. Kaum hatte sie aber damit begonnen, machte sie es so wunderbar, so witzig, so treffsicher, dass wir alle schallend lachten und klatschten. Für Letizia war dies eine völlig neue Erfahrung, die sie sich so selbst in ihren kühnsten Träumen nicht vorgestellt hätte. Und was war das Ergebnis? Sie sagte es selber: „Dies war die schönste und entspannendste Gruppe, die ich je hatte." Sie hatte spielerisch zu ihrem Vollkommensein gefunden. Interessant in diesem Zusammenhang ist, was Friedrich Schiller über das Spielerische sagt (in: *Über die ästhetische Erziehung des Menschen*): *Der Mensch spielt nur, wo er in der vollen Bedeutung des Wortes Mensch ist, und er ist nur da ganz Mensch, wo er spielt.*

Nannette und Letizia waren an diese Quelle von Kreativität, Leichtigkeit und Perfektsein gekommen. Deswegen waren ihre Kommentare auch so hervorragend und sowohl sie als auch die Gruppe hatten so viel Freude dabei.
Aus dieser Quelle schöpfte auch die oben erwähnte Tochter des hoch verschuldeten Bauern. Deshalb ging sie nicht in die Konfrontation, sie sagte nicht, der Alte würde betrügen. Vielmehr griff sie in den Beutel, nahm einen Stein heraus, warf ihn schnell zu Boden, und dieser verlor sich unter den vielen anderen. „Oh, wie bin ich nur ungeschickt!", sagte sie. „Aber es ist ja nicht schlimm", fuhr sie fort, „denn anhand des Steines, der noch in dem Beutel ist, können wir ja sehen, welchen ich herausgezogen hatte." Sie griff in den Beutel und zog den dunklen Stein heraus, womit klar war, dass der ihrige hell sein musste. Durch ihre Klugheit, durch ihr Denken in Win-Win-Win-Win-Situationen, hatte sie nicht nur sich und ihren Vater gerettet, sondern den gerissenen Alten ausgehebelt, ohne ihn bloßzustellen. Offensichtlich hatte sie durch die Liebe ihrer Eltern die Chance bekommen, diese wunderbare Form von Kreativität

und positivem Lösungsdenken zu leben, auszuüben und im richtigen Moment anzuwenden.

DER SELBSTBOYKOTT

Seit 1999 arbeite ich mit der Basisaufstellung und so ließ ich die Seminarteilnehmer immer wieder Glück und Unglück, Erfolg und Misserfolg beziehungsweise andere Archetypen aufstellen. Dabei fiel mir auf, dass Menschen etwas in sich haben, das sie immer wieder an Erfolg und Glück hindert. Ich nannte dies den *Selbstboykott* und stellte als dessen Gegensatz den *positiven Lebensaufbau* auf.

Sind die Eltern sehr unterdrückend gewesen, haben sie ihre Kinder bereits bei den kleinsten Verfehlungen bestraft, so mussten diese einen massiven Selbstboykott entwickeln. Es geht hier nicht mehr um die Angst vor Strafe, wenn man etwas falsch macht, wie dies beim Perfektionismus der Fall ist. Hier ist noch eine andere Dimension am Werke.

Diese lernte ich durch die Arbeit von Ferdinand kennen. Er hatte sich über Jahre immer wieder selber alles zerstört. Er lebte ein hohes Risiko, denn er war nicht mehr der Jüngste, hatte aber keine Krankenversicherung. Und obwohl ich ihm deutlich sagte, ich fände dies unmöglich, weil völlig verantwortungslos ihm selbst, seiner Frau und den Kindern gegenüber, brauchte er so lange, um sich endlich zu versichern, dass es richtig teuer wurde. Ein typisches Beispiel für Selbstboykott. So ließ ich ihn und seine Frau den Selbstboykott und den positiven Lebensaufbau aufstellen. Letzterer hatte bei ihnen noch keinen sehr großen Wirkungskreis. Der Selbstboykott dagegen hatte sie total im Griff. Er knebelte sie regelrecht und hinderte sie daran, erfolgreich zu werden.

Durch Ferdinand kam nun etwas sehr Interessantes heraus: Seine Eltern tolerierten keine Fehler, trampelten regelrecht auf seinem Selbstwert herum – angeblich, damit er etwas fürs

Leben lerne. Tatsächlich war es eine Form von Zynismus und absolut schwarzer Pädagogik. Die analytische Exploration, Untersuchung, ergab zudem, dass seine Eltern nicht wollten, dass Ferdinand glücklicher beziehungsweise erfolgreicher als sie werde. Deshalb der Selbstboykott!

Den Wunsch der Eltern hatte Ferdinand so verinnerlicht, dass er sich immer dann selber ein Bein stellte, wenn er „drohte" erfolgreicher als seine Eltern zu werden. Mit diesem ihm völlig unbewussten Programm hätten Ferdinand und seine Frau niemals erfolgreich, glücklich oder auch nur sicher werden können. Immer dann, wenn sie eines dieser drei – Erfolg, Glück, Sicherheit – zu erreichen „drohten", kam der Selbstboykott und „wies sie in ihre Schranken".

Dadurch, dass sie dies erkannten, die Beziehung zu ihren Eltern klärten, die Bedeutung ihres Selbstboykotts verstanden und zum positiven Lebensaufbau kamen, veränderte sich noch etwas grundlegend: Der Selbstboykott selber veränderte sich. Dies sehe ich immer wieder in Aufstellungen, die zu einer guten Lösung gelangen: Die zuerst negativen, manchmal sogar äußerst bedrohlichen Instanzen wie Wahnsinn, Horror, panische Ängste oder Selbstboykott verlieren ihren Schrecken und werden nicht selten zu positiven Instanzen.

Und hier sehen wir etwas sehr Interessantes: Ganz häufig entsteht durch die Lösung der oben erwähnten negativen Instanzen Kreativität. Woraus sich im Umkehrschluss ergibt: Eine Erziehung, die Wahnsinn, Horror und Selbstboykott erzeugt, schafft so viele Probleme, weil sie uns nicht nur um Fürsorge und Grundfürsorge (s. Kap. 1), sondern auch um Glück und Kreativität und damit um die Möglichkeit bringt, unser eigenes Potenzial zu leben – ein unglaublicher Verlust an Lebensqualität!

Lösen wir aber diese Blockaden, gelangen wir nicht nur zu unserer Kreativität, sondern auch zu Fürsorge, Freiheit, Glück und Freude und, wenn wir es wollen, selbst zu unserem Vollkommensein, denn das Leben eines jeden Menschen ist nichts anderes als der Weg zu SEINEM Vollkommensein. Es ist jedes Mal eine große Freude, wenn Menschen genau diesem Vollkommensein wieder einen Schritt näher kommen, womit sich der Kreis von Fürsorge, Fülle und Finden der eigenen Bestimmung schließt. Dies wird dann als großes Glück erlebt.

Damit gelangen wir zu einer ganz neuen Bedeutung des Kreises der chinesischen Künstler beziehungsweise Giottos. Der Kreis ist häufig oben leicht geöffnet – für das Göttliche, denn dieses übersteigt jede Form, da es diese definiert.
Damit ist so ein offener Kreis DAS Symbol für Vollkommenheit.

8. Vater Sonne und Mutter Erde

Kurz vor einem Frauenseminar schickte mir Nicolina eine Mail, in der sie mich fragte, ob sie in einer meiner Gruppen an der Geburt ihrer Tochter arbeiten könne. Diese war eher dramatisch verlaufen, und da sie und ihr Mann sich noch ein Kind wünschten, wollte sie daran arbeiten, damit die nächste Geburt leichter verliefe.
Als ich die Mail bekam, wusste ich nicht, was Nicolina wirklich brauchte. Ich spürte aber in mich hinein und bekam das ganz klare Gefühl, dass sie in eine Frauengruppe kommen sollte und sie dort auch eine gute Lösung fände.
Nicolina ist eine kluge, sensible und erfolgreiche Frau. Sie kann sich auch sehr gut entscheiden, deshalb schaffte sie es, in wenigen Stunden alles zu organisieren, so dass sie mit ihrem Mann und ihrem Kind anreisen konnte.
Sie fühlte sich sehr wohl in der Frauengruppe und auch die Frauen mochten sie sogleich. Ich hatte aber immer noch kein klares Gefühl, was sie wirklich brauchte.

Als sie ihr Thema schilderte, hörte ich ihr deshalb sehr genau zu. Ich sagte und fragte wenig, um mich noch besser auf sie einstellen zu können. Da fiel mir etwas auf: Mir schien, als hätte Nicolina ein Thema mit dem Frausein. Ich bat sie deshalb folgenden Satz zu vervollständigen: „Frausein bedeutet für mich …" Und was ergänzte Nicolina? „Schmerzen, Leiden, Qualen!"
Das war eine Aussage, die mir einen Weg wies. Ich bat sie deshalb, das positive und das negative Frauenbild aufzustellen und dazu auch noch die leichte und die schwere Geburt.

Erwartungsgemäß standen das negative Frauenbild und die schwere Geburt sehr nahe bei ihr, das positive Frauenbild und die leichte Geburt zwangsläufig weiter weg.

„Und jetzt?", fragte ich mich, denn dies war ein wichtiges Bild, vielleicht auch eine wichtige Erkenntnis, worin bestand aber die Lösung?

Da spürte ich, wie etwas in mir meinte, Mutter Erde aufzustellen. Ich war sehr überrascht, denn diese Instanz hatte ich noch nie aufgestellt, und wusste deshalb überhaupt nicht, wie sie sich auswirken würde. Da das Gefühl aber so klar und beständig war, schlug ich Nicolina vor, Mutter Erde aufzustellen. Und Mutter Erde hatte eine unglaubliche Wirkung, eine wundervolle Lösungsenergie, die bedingte, dass das positive Frauenbild und die leichte Geburt zu Nicolina kamen, das negative Frauenbild und die schwere Geburt hingegen massiv an Kraft und Einfluss verloren. Es war eine wunderbare Aufstellung, die uns alle bewegte und etwas völlig Neues entstehen ließ.

DIE WIRKUNG VON MUTTER ERDE

Nun war die Arbeit von Nicolina so berührend, dass viele Frauen ebenfalls eine Aufstellung mit Mutter Erde machen wollten. Und jedes Mal ergab sich das Gleiche: Mutter Erde hatte eine solche Kraft, dass sie alle negativen Instanzen abschwächte oder gar in positive verwandelte.

Seit Jahren stelle ich die kosmischen Eltern, das heißt die idealen Eltern, auf, weil sie so eine gute Stütze sind und häufig die Arbeit enorm erleichtern. Aber mit der Kraft von Mutter Erde sind sie nicht zu vergleichen. Viele Frauen fühlten sich von dieser so unendlich positiven Instanz zutiefst genährt, gestützt, ja irgendwie verstanden.

Dies war besonders bei Frauke sichtbar. Sie hatte viele Themen wie Gesundheit, Beziehungen, Eltern, Beruf. Ich überlegte lange, dann wurde mir deutlich, dass alle diese Themen eines

gemeinsam hatten: Frauke brauchte eine Stütze, einen Halt, der ihr das gab, was sie in ihrer Kindheit so bitterlich vermisst hatte.
So schlug ich ihr vor, sich selber, Gesundheit und Krankheit, die kosmischen Eltern und Mutter Erde aufzustellen. Sie konnte auf Distanz zur Krankheit gehen und einen guten Kontakt zur Gesundheit aufbauen. Fraukes Protagonistin, Darstellerin, fühlte sich sehr wohl inmitten dieser so positiven Instanzen. Und als Frauke selber einwechselte, tankte sie lange diese gute, nährende Energie und sah danach wirklich entspannter und sehr viel froher aus. Zudem blieb dieser Ausdruck im Gesicht und war für alle deutlich sichtbar. Darüber hinaus erzählte mir Frauke, als ich sie einige Wochen später wiedersah, die positive Energie der Aufstellung sei immer noch da, was für mich auch spürbar war.

Nun hat mich immer an der Psychologie gestört, dass alle Diagnosen negativ sind – schizophren, borderline, schizoid, psychopathisch, masochistisch, rigide und so fort – wo blieb das Positive? Deshalb überlege ich mir bei meiner Arbeit sehr wohl, mit welcher Struktur ich es zu tun habe. Ich spreche aber meine Einschätzung aber fast nie aus, denn ich habe Angst vor Festschreibung. Weiß ich, wie sich das auswirkt, wenn ich sage, jemand habe psychopathische Anteile? Könnte es nicht sein – nach dem Gesetz der sich selbst erfüllenden Prophezeiung –, dass ich diese seine Anteile sogar verstärke, anstatt ihm zu helfen, sie zu lösen? Und wie steht er vor den anderen da?
Ebenso hatte ich immer wieder Fragen, wie das viele Negative zu lösen sei, das so viele Menschen in ihrer Kindheit oder in ihrem bisherigen Leben erleiden mussten. Natürlich muss es thematisiert werden. Die naive Vorstellung, man könne nur mit Positivem arbeiten, kann ich nicht teilen, weil ich zu deutlich sehe, dass sie nicht funktioniert.
Was können wir aber tun, wenn das Negative, wie zum Beispiel ein Missbrauch, aufgedeckt und gelöst wurde, damit nun

etwas absolut Positives entstehen kann? Hier ist die Instanz von Mutter Erde von unschätzbarer Bedeutung und ein großer Segen.

DER SCHUTZ VON MUTTER ERDE

Bemerkenswert in diesem Zusammenhang ist, was ich vor kurzen – wieder einmal übers Internet erfuhr: Bolivien hat ein Gesetz zum Schutz von Mutter Erde erlassen. Im Internet steht im Südamerikablog (unterzeichnet von HansK und veröffentlicht am 28. April 2011) dazu ein so interessanter Bericht über diesen wegweisenden Schritt, dass ich ihn hier vollständig zitiere:

Die Menschen im südamerikanischen Hochland hatten schon immer ein religiöses Verhältnis zur Natur, woran auch die europäischen Missionare und Eroberer nichts ändern konnten. Im Hochland von Bolivien verehren auch heute noch viele Bewohner die Erde als Pachamama, als Mutter Erde. Die Völker der Aymara und Quechua betrachten sie als eine Göttin und als Vermittlerin zwischen der Welt auf Erden und der Unterwelt, die das Leben gebiert. Boliviens Präsident Evo Morales, erster indianischer Staatschef des Landes, hat die Rechte der indianischen Mehrheit deutlich ausgebaut.

Inzwischen besitzt Bolivien sogar ein „Gesetz der Mutter Erde", das zum Klimagipfel im Dezember 2010 in Cancún entstand und inzwischen Bestandteil der bolivianischen Verfassung ist. Erstmals werden in der Verordnung Mensch und Natur symbolisch gleichgestellt. Evo Morales erklärt: „Die Rechte der Madre Tierra sind sogar wichtiger als die Menschenrechte." Die Vielfalt der Lebewesen, das saubere Wasser und die reine Luft sollen mit dem Gesetz vor der Zivilisation geschützt werden.

Noch sind die praktischen Folgen des Gesetzes überschaubar. Doch Boliviens Vizepräsident Álvaro García Linera behauptet: „Das macht Weltgeschichte, Bolivien schafft eine organische Beziehung zwischen Mensch und Natur." Inzwischen fordert Evo Morales sogar die UN auf, die Grundrechte des Globus wie die Menschenrechte in einer Charta zu verankern. Bolivien leidet besonders stark unter dem Klimawandel und sieht deshalb im spirituellen Weltbild der Vorfahren ein Rezept zum Leben im Einklang mit der Natur.

Der Außenminister von Bolivien, David Choquehuanca, erklärt: „Unsere Großeltern haben uns gelehrt, dass wir zu einer großen Familie von Pflanzen und Tieren gehören. Wir Eingeborenen können dazu beitragen, die Krisen von Energie, Klima, Ernährung und Finanzen mit unseren Werten zu lösen." Doch das „Gesetz der Mutter Erde" hat auch mächtige Gegner. So wollen beispielsweise die Agrarbarone im Tiefland um Santa Cruz nichts von Pachamama wissen. Für die einflussreiche Landwirtschaftslobby bietet La Madre Tierra einfach nur herrliche Plantagen.

VATER SONNE

Doch zurück zur weiter oben beschriebenen Bedeutung von Mutter Erde in meinen Gruppen. Nach besagter Frauengruppe hatte ich ein Paarseminar. Am Anfang der Seminare sage ich immer ein paar einleitende Worte. Diesmal hatte ich das deutliche Gefühl, über Vater Sonne und Mutter Erde zu reden. Dies barg eine gute Portion Risiko in sich, denn ich wusste nicht, wie die Paare dies aufnehmen würden. Vielleicht fanden sie mich „spirituell abgehoben" beziehungsweise in ihren Entscheidungen oder Zielen von mir beeinflusst. Dieses Risiko musste ich aber eingehen, denn ich spürte deutlich, dass diese beiden Instanzen besonders für Paare von unschätzbarem Wert sein könnten.

Es freute mich natürlich sehr, dass die Resonanz durchgehend positiv war.

Es ist nun so, dass am Anfang aller meiner Gruppen die Teilnehmer das Ziel beziehungsweise die Ziele nennen, die sie am Ende erreicht haben wollen (vgl. Kap. 13). Und eben diese Ziele veränderten viele Paare, denn sie verbanden sie nun mit der Aufstellung von Vater Sonne und Mutter Erde und die Wirkung war zum Teil sehr erstaunlich, bewegend, heilend.

So ist in dieser Gruppe ein Paar, das sich immer wieder schwer tat, seine Rolle als Eltern zu leben. Sebastian war in vielem zu weich und Paola zwar sehr liebevoll, aber auch nicht immer da. Durch die Aufstellung von Vater Sonne und Mutter Erde fanden sie zu ihrer Rolle als Vater beziehungsweise Mutter – und dies so gut, dass sie selber für diese wundervollen Instanzen aufgestellt wurden.

DIE STELLUNG VON MANN UND FRAU

Seitdem ich die Aufstellungen von Bert Hellinger kenne, und das ist nun eine ganze Weile, habe ich ein Problem damit, wie er Männer und Frauen aufstellt. Bert Hellinger stellt nämlich den Mann rechts und die Frau links auf. Das hat seinen guten Grund, denn auch die kosmischen, die idealen Eltern, stehen so. Auch der berühmte Avatar (Gottesinkarnation) Rama und seine Frau Sita beziehungsweise Krishna und Radha werden in Indien so abgebildet. Auch Amma, die große indische Heilige, von der ich in meinem Buch *Fülle* berichte, platziert die Männer rechts und die Frauen links. Nur bei mir klappt das nicht. Nun habe ich in den vielen Jahren Zigtausende von Aufstellungen gemacht und immer wieder festgestellt, dass ich zu keiner guten Lösung komme, wenn ich den Mann rechts aufstelle und die Frau links.

Interessant war für mich in diesem Zusammenhang ein Paar, das vor vielen, vielen Jahren von Bert Hellinger zu mir kam. Er hatte ihnen gesagt, ihre Ehe sei zu Ende, sie sollten sich in Würde und Dankbarkeit trennen. Sie wollten sich aber nicht trennen. Sie wollten zusammenbleiben, ihre offensichtlichen Probleme lösen und eine gute Ehe führen. Ich stellte sie um, sie arbeiteten viel an ihren Problemen, lösten sie und hatten eine glückliche Beziehung.

Bei meiner Form der Aufstellung fand ich ebenfalls gut, dass hinter der Frau der kosmische Vater steht und hinter dem Mann die kosmische Mutter. Das gibt der Frau Stütze und dem Mann Zartheit.
Stellte ich zudem Vater Sonne und Mutter Erde auf, macht meine Form der Aufstellung absolut Sinn. Nun verstand ich auch, warum der indische Lehrer Sai Baba, der mich alles lehrte, was ich heute über Aufstellungen weiß, mir stets auf meine dringenden Fragen, warum bei mir der Mann links und die Frau rechts stünden, antwortete, es sei richtig so. Zudem gab ihm der Erfolg recht. Denn nicht nur hat diese Form der Aufstellung Tausenden von Paaren geholfen. Es ergab sich dadurch auch noch ein wunderschönes Bild: Vater Sonne stand neben dem Mann, hinter dem die kosmische Mutter war, und Mutter Erde stand neben der Frau, hinter der der kosmische Vater war. D.h. die himmlischen Instanzen hielten die himmlische Ordnung ein, und neben dem Mann stand der ihn stützende und stärkende Vater Sonne, neben der Frau Mutter Erde. So hatte nun alles seinen Platz, obwohl bei mir die Paare „verkehrt herum" standen.
Zudem bewirkten diese Aufstellungen eine Heilung und die Paare fühlten sich seelisch so genährt, wie ich es bis dahin noch nie erlebt hatte. So erlebten alle Beteiligten die Wirkung von Vater Sonne und Mutter Erde als wahren Segen, als manifestierte, sichtbare Fürsorge.

DIE HEILENDE KRAFT

Dies wurde besonders deutlich bei der Arbeit von Bastian und Olivia. Sie hatten sich so sehr ein Kind gewünscht, aber es dauerte länger als sie sich dies vorgestellt hatten, bis ihr so ersehntes Kind kam. Und dann geschah etwas sehr Erstaunliches: Olivia konnte seit der Geburt nicht mehr schlafen. Sie war völlig verzweifelt, denn dieses nicht Schlafen schwächte sie ungemein. Dann nahmen die beiden eine Einzelstunde bei mir. Olivia schilderte mir ihr Dilemma, wie sie sich auf ihr Kind gefreut hatte und wie wenig sie es jetzt durch ihre Schlaflosigkeit genießen konnte. Ich sah deutlich, dass sie dieses Thema in der Gruppe aufstellen musste. Die Paargruppe, in der sie waren, hatten sie wegen der bevorstehenden Geburt aufgehört, und ihr Platz war neu besetzt worden. Was tun? Ich schlug ihnen vor, dass sie kostenlos ihr Thema aufstellen könnten und sich mit Sicherheit eine Möglichkeit dazu ergäbe.
Die ergab sich auch, denn eine Teilnehmerin konnte nicht kommen und eine zweite reiste früher ab. So hatte ich die zwei Plätze für Bastian und Olivia, die so am letzten Tag in die Gruppe kommen konnten.

Alle freuten sich, die beiden und das süße Baby zu sehen. Ich auch, obwohl ich gemischte Gefühle hatte, denn ich spürte die Last der Verantwortung. Es konnte nicht angehen, dass Olivia weiterhin, zwar mit dem Stillen verträgliche, aber dennoch Schlaftabletten und sogar Psychopharmaka nahm. Wir alle wollten unbedingt einen Weg aus dieser Sackgasse finden – doch wie?
Ich bat deshalb Olivia, so viel wie möglich zu erzählen. Und es gehörte nicht viel dazu, eine Verbindung zu ihrer Kindheit herzustellen. Meine Frage war, was wiederholte Olivia mit ihrem Verhalten? Was war in ihrer Kindheit geschehen, das sie nun blockierte? Alsbald kam die Antwort: Ihre Mutter hatte sie in die Kinderkrippe gegeben als sie zwei Monate alt war. Wir

alle in der Gruppe reagierten entsetzt. Olivia sagte dagegen: „Das war ganz normal in der DDR". Bastian erzählte nun, dass Olivia, wenn sie abends von der Krippe nach Hause kam, stundenlang weinte. Aber keiner reagierte auf ihr Weinen, keiner verstand ihren Schmerz, keiner konnte sie nachempfinden. Deswegen wiederhole ich hier meine Ansicht, dass **Kinder erst dann in eine Kinderkrippe sollten, wenn sie reden und damit ausdrücken können, was sie bedrückt, worunter sie leiden, was sie nicht wollen – und dies ist gewöhnlich ab ca. zwei Jahren.**
Genau dies konnte Olivia mit zwei Monaten natürlich nicht: sich artikulieren, über ihren Schmerz reden. Wie groß dieser gewesen sein muss, erkennt man an ihrem Leiden, ihrer Schlaflosigkeit, ihrer Erschöpfung jetzt, wo die Geburt ihres Kindes diese bisher völlig vergessenen Gefühle aktiviert. Genauso muss Olivia sich als Kind gefühlt haben.
Ein Symbol für unsere frühesten Empfindungen ist das sogenannte innere Kind. Es steht für unsere Gefühle in der Kindheit, für unsere zarten Seiten überhaupt (vgl. auch *Achtung ... mir selbst und anderen gegenüber* S. 203 f).

Nun hatte ich den Schlüssel gefunden und bat sie deshalb, sich, das innere Kind und die kosmischen Eltern aufzustellen. Die kosmischen Eltern standen hinter Olivia, rechts der kosmische Vater und links die kosmische Mutter, und stützten sie. Hinter diesen dreien kauerte, völlig in sich zusammen gesunken, das innere Kind. Nun wurde SICHTBAR, wie verletzt, wie einsam, wie hilflos sich Olivia in ihrer Kindheit gefühlt haben muss.
Für mich ergab sich nun die Frage, wie wir dieses so verletzte innere Kind aus seiner Starre herausholen könnten. Ich bat sie deshalb, Vater Sonne und Mutter Erde zu dem inneren Kind zu stellen. Als diese so starken und positiven Instanzen bei dem inneren Kind waren, lebte es sogleich auf. Stück für Stück gab es seine kauernde Stellung auf, nahm die Liebe an, die es bekam, richtete sich zuerst auf und stand dann ganz auf. Nun

konnten die drei Kontakt zu Olivia aufnehmen und es entstand ein wunderbares, heilendes Bild.
Lange tankten sie und ihr inneres Kind diese heilsamen Energien, dann löste Olivia die Aufstellung auf. Kaum hatte sie sich gesetzt, war es Zeit, ihren kleinen Sohn zu stillen, und sie ging mit ihm froh und gelöst aus dem Raum.
Wieder zuhause erzählte Olivia ihrer Mutter von dieser Aufstellung und ihre Mutter ging sehr liebevoll und sehr nachempfindend auf sie ein. Diese liebevolle Reaktion ihrer Mutter berührte Olivia sehr und bedingte, dass sie wieder schlafen konnte.

Es hatte sich wirklich gelohnt, dass sie gekommen waren. Zudem machte ihre Arbeit nochmals deutlich, welch eine heilsame Kraft Vater Sonne und Mutter Erde hatten.
De facto hatte die Arbeit mit Nicolinas Geburtsthema die Voraussetzung geschaffen, dass wir den Konflikt lösen konnten, der sich nach der Geburt von Olivias Kind ergeben hatte.
Alles hat seine Zeit. Doch zuweilen erleben wir Zeit als besonders fürsorglich und gebend. Dies war für mich so eine Zeit.

INNERE BILDER – WIE WIRKEN SIE?

Als ich 1986 nach Indien fuhr, arbeitete ich in meinen Gruppen noch ganz nach der Methode der Bioenergetischen Analyse. Typisch für diese Methode waren Gruppenarbeiten, bei denen alle Teilnehmer Übungen mitmachten, die tiefe Gefühle wie Wut, Hass, Trauer oder Schmerz ausdrücken.
Mein Aufenthalt in Indien, obwohl er nur 14 Tage dauerte, veränderte mich zutiefst. Deshalb konnte ich, als ich wiederkam, keine bioenergetischen Gruppenübungen mehr machen. Sie waren zu unpräzise. Meine Aufgabe bestand nun vielmehr darin herauszufinden, was jeder einzelne GENAU brauchte.
Viele fanden das gar nicht gut. Sie hatten Bioenergetik gebucht. Darunter verstanden sie verschiedene Übungen in der

Gruppe, und auf die wollten sie nicht verzichten. Da ich nicht von meinem neuen Weg abweichen konnte und wollte, verließen mich viele.

Ich aber war immer weniger von der Bioenergetischen Analyse überzeugt. Sie setzte viele Gefühle frei, das freute zwar die Menschen, doch wie war es mit bleibenden Veränderungen?

Sehr viel später kam ich in Kontakt mit der systemischen Arbeit von Bert Hellinger – zu dem ich aber nicht persönlich kam, denn ich sollte einen anderen Weg einschlagen: Den Weg der inneren Bilder. Dazu lernte ich die Basis-Aufstellung mit den oben erwähnten Instanzen. Und genau diese Arbeit mit den inneren Instanzen baute ich mehr und mehr aus. *Es ging in meiner Arbeit immer mehr um das bildhafte SICHTBAR Machen innerlicher Befindlichkeiten.*

Der berühmte Schweizer Psychoanalytiker Carl Gustav Jung prägte den Begriff der Archetypen, worunter er Urbilder verstand, die sich in der Seele von Anfang an befinden. Zu diesen Archetypen zählte er Urerfahrungen wie Geburt, Heranwachsen, Pubertät und Tod, aber auch innere Bilder wie Krieger, Engel, Heiler und viele, viele mehr.

Ich arbeitete aber besonders mit Gegensatzpaaren wie Leben und Tod, Gesundheit und Krankheit, Vertrauen und Misstrauen, Wahrheit und Unwahrheit. Hinzu kam die Arbeit an psychischen Problemen wie Horror, Wahnsinn, Ängste aller Art sowie dem bereits erwähnten Selbstboykott. Außerdem ergaben sich bei fast jeder Arbeit neue Themen, neue Gegensatzpaare, denn meine Aufgabe bestand für mich darin, PRÄZISE herauszufinden, was jemanden bewegte beziehungsweise was jemand brauchte.

Die innere Dynamik der Aufstellungen bedingte, dass ich niemals nur negative Instanzen aufstellen konnte. Vielmehr kam zum Horror die innere Ruhe, zum Wahnsinn die klare Ruhe, zum Selbstboykott der positive Lebensaufbau, zum

Verrat die Treue, zur Härte die Zartheit, zum Misstrauen das Vertrauen und so fort. Das Aufstellen dieser Archetypen ist deshalb wichtig, weil Menschen sich häufig falsch einschätzen. Immer wieder glauben sie BEWUSST positiver ausgerichtet zu sein, als sie es unbewusst sind. Dadurch, dass ihnen ihre unbewusste negative Ausrichtung deutlich wird, können sie diese korrigieren und zu einer positiven Einstellung gelangen.

Die Dynamik, die entsteht, wenn man ein Gegensatzpaar wie Horror und innere Ruhe oder Selbstboykott und positiver Lebensaufbau aufstellt, führt eine Aufstellung gleichsam automatisch zu ihrer Lösung – sofern man im richtigen Moment versteht, was ein Bild ausdrückt.
C. G. Jung hatte völlig recht, als er die große Bedeutung der inneren Bilder unterstrich. Ich bin immer wieder aufs Neue überrascht, wie tief Bilder wirken, wie sehr sie Menschen verändern und dass diese Veränderung dann von Dauer ist, wenn eine innerpsychische Lösung des Problems stattgefunden hat.
Ganz im Sinne von C. G. Jung ist die Aufstellung derartig starker Archetypen wie Vater Sonne und Mutter Erde. Es sind diese Urbilder, die die Seele tief bewegen und deshalb so große Veränderungen bewirken können.
Interessant in diesem Zusammenhang ist, dass Platon bereits vor 2400 Jahren von der Kraft der inneren Bilder sprach. Er betonte immer wieder, wie sehr uns das Erkennen der IDEEN (Griechisch *eikoon*, was Bild heißt!) verändern würde. Die Erkenntnis der Ideen, der inneren Bilder, würde uns sogar zur Erleuchtung bringen, wenn wir ihr unbeirrt folgen. Denn, so Platon, alle Ideen, alle Erkenntnis, alles Glück liegt bereits eingebettet in unserer Seele und muss nur gesehen, entdeckt werden, dann könnten wir die innere Ruhe, die Zufriedenheit, nein sogar die Weisheit erlangen, die einen Philosophen kennzeichnen. Dies spiegelt sich auch im deutschen Wort **Ent-**

Wicklung wider: Wir wachsen dadurch, dass wir etwas hervorholen, das bereits in uns ist.

Wie viele von uns heute unbedingt Philosophen werden wollen, weiß ich nicht. Aber Glück, innere Ruhe und Zufriedenheit wollen viele erreichen – wie schön, dass die inneren Bilder uns seit Urzeiten den Weg dahin weisen. Und wir nur den Bildern wie Wegweisern folgen brauchen, um dahin zu gelangen. Zudem können wir am Schatz der inneren Bilder sehen, wie fürsorglich die Vorsehung ist.

9. ZEIT

Der römische Philosoph L. Annaeus Seneca (1-65 n. Chr.) hat sein Leben so genutzt, dass er heute noch als weiser Philosoph und engagierter Bürger Roms geachtet wird. Er setzte sich auch mit all seinem Wissen und Können für die Erziehung des späteren Kaisers Nero ein. Wie wir wissen, ein sinnloses Unterfangen, das dieser Wahnsinnige – von dem die neuere Forschung jedoch annimmt, er habe Rom wahrscheinlich nicht anzünden lassen – ihm damit dankte, dass er ihn zum Selbstmord zwang. Diesem verbrecherischen Befehl kam Seneca, so ist es überliefert, leichten Herzens nach. Er hat offensichtlich sein Leben erfüllend gelebt, so dass es überzeugend ist, was er in seinem Buch *Über die Kürze des Lebens* (S. 179) schreibt: *Genügend lang ist das Leben und für der wichtigsten Dinge Vollendung reichlich bemessen, wenn es insgesamt gut verwendet wurde (...). So ist es: nicht empfangen wir ein kurzes Leben, sondern haben es dazu gemacht, und nicht sind wir arm an Lebenszeit, sondern verschwenderisch mit ihr. Wie ein riesiges und eines Königs würdiges Vermögen, sobald es an einen schlechten Herren geraten ist, im Augenblick zerrinnt, dagegen ein auch noch so bescheidenes, falls es einem verantwortungsbewussten Herrn anvertraut worden ist, durch seinen Gebrauch wächst: so öffnet unsere Lebenszeit dem, der sie klug einteilt, viele Möglichkeiten.*

Und im weiteren Verlauf sagt er etwas sehr Interessantes, indem er vergleicht, wie wir mit unserem Geld beziehungsweise mit unserer Zeit umgehen. Bemerkenswert finde ich in diesem Zusammenhang, wie leichtfertig viele von uns Zeit verwenden, verbrauchen, verschwenden, um Geld zu verdie-

nen. Verschwenden sie zuerst das Leben, um Geld zu verdienen und vergeuden anschließend das Geld, so haben sie nicht nur das Geld, sondern auch kostbare Lebenszeit verloren.
Wie ich immer wieder feststelle, ist vielen gar nicht bewusst, dass Zeit Leben ist. Verschwenden sie Zeit, verlieren sie Lebenszeit, d.h. Jahre oder sogar Jahrzehnte ihres Lebens. Seneca greift dies auf (S. 183): *Niemand findet sich, der sein Geld verteilen will, sein Leben – an wie viele verteiltet es ein jeder einzelne! Daran gefesselt sind sie, ihr Vermögen zusammenzuhalten – sobald man zum Zeitverlust kommt, sind sie höchst verschwenderisch mit dem, bei dem allein ehrenhaft Geiz ist.*

Besonders diejenigen, die Geld in Hülle und Fülle haben, gehen häufig sehr sparsam, zuweilen sogar geizig damit um. Wie verschwenderisch sind dagegen viele mit ihrer Zeit! Besonders die moderne Unterhaltungsindustrie kostet uns unendlich viel Zeit. Und was bekommen wir dafür? Häufig nicht einmal gute Unterhaltung! Womit kostbare Zeit regelrecht totgeschlagen wird: Zeit, die irgendwann möglicherweise fehlt. Denn es geht im Leben darum, so erfüllt gelebt zu haben, dass wir ähnlich leicht wie Seneca am Ende gehen können. Wie sollte dies aber möglich sein, wenn wir UNSER Leben nicht gelebt haben, wenn wir UNSERE Zeit insofern ungenutzt verstreichen ließen, als wir keine Erfüllung, kein Glück, keine innere Ruhe fanden? Auch hierzu sagt Seneca etwas sehr Kluges: *Der erste Beweis für eine Beruhigung der Seele ist, meine ich, stehen bleiben zu können **und mit sich zu verweilen*** (Hervorhebung durch mich). Und dies ist, so denke ich, eine Haltung, die zu dem entgegengesetzt ist, was die heutigen Medien propagieren. Denn bei ihnen geht es nicht um Muße, um Innehalten, sondern um Spannung und um eine Flut von Bildern, die für mein Dafürhalten immer schneller werden.

ZEIT IST KEIN THEMA!

Es fiel und fällt mir immer wieder in meinen Seminaren auf, wie leichtfertig viele mit Zeit umgehen. Früher habe ich stundenlang diskutiert, wenn jemand zu spät kam. Durch ein Seminar in den USA lernte ich, dass man mit Konsequenzen arbeiten muss. Das tue ich heute, indem jeder zahlen muss, der zu spät kommt. Und das Furchtbare? Seitdem klappt's!
Dafür bin ich meinen Seminarteilnehmern sehr dankbar. Und ich habe noch etwas sehr Wichtiges gelernt.
Vor einiger Zeit fragte ich einen jungen Mann, Dieter, der sehr verschwenderisch mit der Zeit umging, woher dies wohl komme? Seine erste Antwort fand ich bereits bezeichnend, denn er empfand es gar nicht als verschwenderisch, wie er mit seiner Zeit umging. „Aber erstens kommst du doch immer wieder zu spät in die Gruppe und zweitens hast du erzählt, dass du auch sonst Zeiten nicht so ernst nimmst", meinte ich. „Das stimmt", sagte er überrascht, „das fällt mir aber erst jetzt auf, dass ich irgendwie komisch mit Zeit umgehe." „Und woher kommt das?", fragte ich. Er dachte eine Weile nach, dann sagte er etwas Erstaunliches: „Ich habe mich in meiner Kindheit so gelangweilt. Ich langweilte mich in der Schule, ich langweilte mich zuhause. Nur mit meinen Freunden habe ich mich nicht gelangweilt, aber für sie hatte ich so wenig Zeit. Immer musste ich etwas anderes tun. Immer hatte ich irgendwelche Aufgaben zu erledigen. Ich wünschte mir so sehr, Herr meiner Zeit zu sein. Ich wünschte mir so sehr, erwachsen zu sein." Hier wurde Dieter sehr nachdenklich und fuhr fort: „Nun bin ich erwachsen und lebe immer noch so, als würde ich irgendwelche Pflichten erfüllen müssen, die mir andere gegen meinen Willen auftragen. Ich lebe immer noch nicht mein Leben. Ich lebe immer noch so, als wartete ich auf die Zukunft. Dabei bin ich in der Zukunft angekommen, die ich mir damals so sehnlich wünschte, habe es aber bis heute nicht gemerkt. Das wird sich ändern!"

Und es änderte sich: Dieter ging von da an mit seiner Zeit um – er war in SEINER Zeit angekommen.

Da Dieters Ausführungen für viele sehr berührend waren, fragten wir uns in der Gruppe, ob nicht viele, die schlecht mit ihrer Zeit umgehen, in ihrer Kindheit ein falsches Programm vermittelt bekommen haben. Daraufhin bestätigten einige Teilnehmer, sie hätten auch wie Dieter gelernt, nach dem Motto zu leben: „Augen zu und durch". Keiner hat ihnen gesagt, dass das, wovor sie die Augen verschließen, das Allerwichtigste, nämlich ihre **Gegenwart** ist. So haben sie gelernt, die Gegenwart „irgendwie" zu ertragen und die Zeit, so gut es ging, totzuschlagen.
Was ihnen niemand sagte, war, dass man die Zukunft nicht leben kann. Die Zukunft ist nicht. Deshalb ist das Einzige, was man leben kann, das Jetzt, die Gegenwart, die sie leider nicht zu schätzen gelernt haben.

Die Geschichte von Dieter macht aber noch etwas deutlich: **Wer SEINE Zeit nicht lebt, lebt sich nicht, kommt niemals in der Zukunft an, weil diese nur als Gegenwart gelebt werden kann.** Er kommt aber in dieser Gegenwart nicht an, weil er durch sein negatives Programm an die Vergangenheit gebunden ist. Mit anderen Worten: der Wunsch in einer besseren Zukunft anzukommen, um endlich die unangenehme Gegenwart loszuwerden, bedingt etwas sehr Interessantes. **Wir beschäftigen uns stets mit einer nicht gelebten Zukunft, hängen unbewusst an der Vergangenheit und verpassen dadurch unsere Gegenwart, unser Leben.**
Wie hoch doch der Preis für schlechte Erfahrungen und ein negatives Programm sein kann!
Nur weil nicht gut für mich gesorgt wird, nur weil sich niemand die Mühe macht, mich zu motivieren, das Positive in meinem Leben zu sehen, lerne ich unbewusst, mein Leben zu verpassen. Die Schule und die Erfüllung von wichtigen Aufga-

ben, die eigentlich Voraussetzungen für das Leben sein sollten, verfehlen ihr Ziel und führen dazu, dass ich mein Leben verpasse. Welch eine Tragik!

VERSCHIEBEN, VERSPÄTEN

Viele Menschen lieben es, Dinge zu verschieben, aufzuschieben, hinauszuzögern. Bemerkenswert ist, was Seneca dazu schreibt (S. 199): *der größte Verlust an Leben ist der Aufschub (...), er entreißt das Gegenwärtige, während er das Fernliegende verspricht.* Seneca meint weiter, das größte Hindernis zu leben sei die Erwartung, die zwangsläufig von der Zukunft abhängig sei, und damit das Heute zerstöre.

In meinem Buch *Fülle* schreibe ich, viele würden deshalb die Fülle nicht leben, weil sie gar nicht sehen, was sie bereits haben und wie viel dies häufig ist. Sie leben stattdessen in der Erwartung, dass noch etwas Besonderes kommt, dass noch etwas geschieht, was ihrem Leben etwas völlig Neues hinzufügt. Dabei haben sie schon alles. Weil sie es aber nicht sehen, erleben sie die Fülle nicht, die sie bereits JETZT haben. Sie verpassen es, ihre Fülle JETZT zu leben, weil sie sie in die Zukunft verlagern. Interessant ist, dass Seneca dies nicht ein Verpassen nennt, sondern gar einen Verlust an Leben.
Wer sein Jetzt nicht mit seiner vollen Aufmerksamkeit erfüllt, verpasst sein Leben.

Wir sollten deshalb sehr vorsichtig sein, wenn wir Dinge verschieben. Alles was wir nicht erledigen, lösen beziehungsweise abschließen, begleitet uns, beschäftigt uns, kostet uns Energie. Wir verschieben es in die Zukunft und verschieben damit unsere Aufmerksamkeit ebenfalls in die Zukunft. Wir erinnern uns: **Fülle zu leben bedeutet, JETZT zu sehen, was wir haben. Sein Leben voll zu leben bedeutet, BEWUSST im Jetzt zu sein.** Ich bin aber nicht bewusst im Jetzt, wenn ich permanent Dinge von der Gegenwart in die Zukunft verschie-

be. Ich verschiebe damit meine Aufmerksamkeit von der Gegenwart in die Zukunft. Ich verschiebe damit ebenfalls mein Leben von jetzt auf später. D.h. ich lebe jetzt nicht. Wann lebe ich aber, wenn ich nicht jetzt lebe?
Wir sollten deshalb sehr vorsichtig sein, wenn wir mit Menschen zu tun haben, die Dinge verschieben, denn sie leben nicht in der Gegenwart. Sie werden deshalb mit ihrer Zeit und entsprechend mit unserer Zeit schlecht umgehen, denn die erlebte Zeit ist meine Gegenwart, aber genau die achten sie nicht oder so wenig, dass sie sie in die Zukunft verschieben.

Ein schreckliches Beispiel dafür ist ein Mann aus Venedig, Andrea – italienisch für Andreas. Er ist einer dieser Vielbeschäftigten, die permanent durch ihr Leben hetzen, weil sie nirgendwo ankommen können und WOLLEN, weil sie ständig vor sich selber auf der Flucht sind, weil Ruhe, der tiefste Sinn von Zeit, ihnen Angst macht. Georg Christoph Lichtenberg (1742-1799), Mathematiker, erster Professor für Experimentalphysik und Schriftsteller meinte: *Die Leute, die niemals Zeit haben, tun am wenigsten.* Und kosten uns deshalb so viel Zeit!
Andrea ist immer gehetzt, immer verschwitzt, nie pünktlich, nie zuverlässig, hält nie Wort, verspricht viel und hat noch mehr Entschuldigungen, weil er nicht tut, was er sagt. Menschen wie Andrea verschwenden, indem sie Zeit und Ruhe verachten, das Kostbarste, was wir haben: Unser Leben. Kein Wunder, dass sie neben viel Zeit auch viel Geld kosten.
Meine Devise ist es, mit niemandem zu tun zu haben, der sich nicht achtet. Jemand der seine Zeit und sein Leben nicht achtet, achtet unsere Zeit und unser Leben ebenso wenig. Und weiter: Können wir so jemanden achten?
Deshalb sollten wir sehr vorsichtig sein, wenn Menschen Termine nicht einhalten, ihr Wort nicht halten, sich nachlässig unserer und ihrer Zeit gegenüber verhalten. Hier ist immer Nichtachtung beziehungsweise sogar Verachtung im Spiel. Es ist deshalb ein Akt der Fürsorge, uns nicht auf so ein Niveau

herab ziehen zu lassen. Andrea hat all diese schlechten Eigenschaften an den Tag gelegt, ein leuchtendes Beispiel, solche Typen unbedingt VON ANFANG AN zu meiden.

Wie Buddha und alle Weisen betonen, sollte unser Ziel die Einheit von Gedanken, Worten und Werken sein. Leben wir diese Einheit nicht, leben wir weder unsere Fürsorge noch unsere Achtung für uns und andere. **Fürsorge und Achtung für uns und andere sind aber die Grundvoraussetzungen, wenn wir ein erfülltes Leben führen wollen.** Wir sollten uns deshalb unbedingt an die Einheit von Gedanke, Wort und Tat halten und uns deshalb weit von Menschen entfernt halten, die diese Einheit nicht leben.

DAS ZIEL

Denn was ist das Ziel von Zeit? Muße. Und was ist das Ziel von Muße? Innerer Frieden. Und was ist das Ziel von innerem Frieden? Stille. D.h. wer nicht Wort hält, wer unsere Zeit vergeudet, wer uns mit Sinnlosem beschäftigt, bringt uns um etwas sehr Kostbares: Um Stille.

Und wie kommt man zu dieser Stille? Indem man den Namen Gottes wiederholt (siehe dazu von Stepski-Doliwa, *Zeitlose Wahrheiten für jeden Tag*, 27.2.), das Gayatri Mantra (aus dem Hinduismus) singt (siehe Kapitel 14) und/oder meditiert. Bemerkenswert ist, was Frances de Sales (1567-1622), katholischer Heiliger und Bischof von Genf meinte: *Eine halbe Stunde Meditation ist absolut notwendig – außer wenn man sehr beschäftigt ist. Dann braucht man eine ganze Stunde.* Denn das Ziel ist nicht, viel beschäftigt zu sein, sondern bei sich anzukommen. **So hat der Kluge immer Zeit. Warum? Weil er sie sich sinnvoll einteilt, achtsam mit ihr umgeht, denn er weiß, dass eine gute Zeiteinteilung eine wichtige Voraussetzung der Fürsorge für sich und andere ist – Fürsorge, die er gerne lebt.**

Wir müssen uns vor Augen führen, dass wir unendlich viel in uns haben. Die Inder sagen sogar, wir seien Gott. Deshalb sagte Romano Guardini (1885-1968), der Theologieprofessor, der sich mutig mit den Nazis anlegte, sehr weise: *Immer sollte in uns die Stille sein, die nach der Ewigkeit hin offen steht und horcht.* Dieses Horchen erleben wir alle, wenn es so still um uns ist, dass wir die Zeit ziehen hören. Es sind dies die Momente, wo uns bewusst wird, wie kostbar dieses unsere Leben ist – und das aller anderen auch. Das Leben ist ein unendlich großes Wunder, dem wir unbedingt dadurch Achtung und Dank entgegenbringen sollten, dass wir uns die Mühe machen innezuhalten und uns zu fragen: *Wer bin ich? Wo komme ich her? Wo gehe ich hin? Und: WER bestimmt mich?*

All diese Schritte fasst der wunderbare Laotse (6. Jahrhundert v. Chr.) zusammen, der berühmte Verfasser des *Tao Te King*: *Rückkehr zur Wurzel heißt Stille. Stille heißt Wendung zum Schicksal. Wendung zum Schicksal heißt Ewigkeit. Erkenntnis der Ewigkeit heißt Klarheit.*
All dies schenkt uns das Leben. All dies schenkt uns die Zeit, sofern wir uns die Zeit nehmen, über die Zeit nachzudenken, im Jetzt zu sein und damit in unserer Zeit, in UNSEREM Leben anzukommen. Das ist gelebte Fürsorge.
So gesehen hat der weise Stoiker und hervorragende römische Kaiser Marc Aurel (121-180) absolut recht, wenn er sagt: *Nicht den Tod sollte man fürchten, sondern dass man nie beginnen wird zu leben.*

10. GELEBTER GLAUBE

Was hat Glaube, zudem gelebter Glaube, mit Fürsorge zu tun? Glaube und Fürsorge haben viel damit zu tun, wie wir mit den Wechselfällen des Lebens umgehen. Auf diese reagiert der Pessimist nach dem Motto: *Wird schon schief gehen, das ist eben mal wieder so ein Problem!* Der Optimist sagt: *Wird schon gut gehen. Das ist bestimmt eine Chance.* Der Gläubige meint: *Es wird für mich gesorgt. Im Leben gibt es immer wieder Herausforderungen. Ich bekomme sie, um daran zu wachsen, denn die Probleme von heute sind der Segen von morgen.* Der deutsche Dichter Eugen Roth fasst diese Einstellung in Versform zusammen: *Ein Mensch schaut in der Zeit zurück. Er sieht: Sein Unglück war sein Glück.* Diese Einstellung gibt gläubigen Menschen die Ruhe, die Pessimisten in den meisten Fällen nicht haben. Immer das Negative oder gar Schlimmste anzunehmen und gelassen zu bleiben, schließt sich aus wie Feuer und Wasser. Meine seelische Verfassung ist zwangsläufig eine andere, wenn ich nicht annehme, dass immer alles schief geht, sondern für mich gesorgt, vielleicht sogar gut für mich gesorgt wird.

Es ist deshalb ein Akt der Fürsorge, dass ich erstens meine Einstellung überprüfe und zweitens, falls sie negativ sein sollte, mich frage, ob sie REALISTISCH ist.
Ich meine sogar, Negativität ist das Ergebnis von mangelnder Fürsorge beziehungsweise mangelnder Grundfürsorge. Ich sorge nicht für mich, weil ziemlich wahrscheinlich in meiner Kindheit nicht für mich gesorgt wurde. Und weil nicht für mich gesorgt wurde, bekam ich eine negative Einstellung nach dem Motto: *Die sind ja sowieso nicht für mich da.*

Das Problem ist nun, dass dieser Satz ein unbewusstes Programm darstellt, das mein Leben beeinflusst oder gar bestimmt. Die Erfahrungen in meiner Kindheit waren negativ und negativ ist nun das Programm, das jetzt mein Leben bestimmt. Solche Programme haben eine fatale Wirkung.

Hier spielt der Kairós, der rechte Augenblick, eine wichtige Rolle. Denn der Umgang mit dem Kairós bestimmt, ob aus einer Situation ein Gewinn oder ein Verlust wird.

Hier ergibt sich ein deutlicher Unterschied zwischen Pessimisten und Optimisten. **Die Pessimisten verpassen den rechten Augenblick und haben dann, was sie erwarteten: einen Misserfolg.**

Die Optimisten dagegen gehen optimal (!) mit dem Kairós um: Sie handeln dann, wenn sich die ideale Zeit für den Erfolg ergibt. Ihr unbewusstes Programm lautet: Meine Eltern, die Welt, Gott sorgen perfekt für mich. Es wird sich deshalb alles positiv fügen. Deshalb „verpassen sie" den FALSCHEN Zeitpunkt und handeln, wenn die rechte Zeit gekommen ist.

Deshalb ist nicht die Welt gut oder böse, sondern es sind unsere unbewussten Programme, die uns mit schlafwandlerischer Sicherheit zu Erfolg beziehungsweise Misserfolg führen.
Gelebter Glaube bedeutet deshalb, dass ich mich darum kümmere, WAS ich glaube. Glaube ich nämlich wie der Pessimist nach dem berühmten Murphy'schen Gesetz, dass immer alles in der schlimmsten Form, zum absolut unpassenden Zeitpunkt danebengeht, dann wird mein Unbewusstes schon dafür sorgen, dass dies eintrifft.

Deshalb ist es völlig sinnlos zu sagen, die Welt sei so oder so, wenn ich mir nicht BEWUSST mache, was ich unbewusst bereits entschieden habe. Da dies nun mal unbewusst ist, GLAUBEN viele, nicht in ihnen liege das Problem, sondern in der Welt. Und da solche Schuldzuweisungen immer einfach sind, bleiben viele unbesehen dabei. Sie zahlen aber die Zeche. Aus zweierlei Gründen: Erstens zeigt sich uns die Welt immer so, wie wir sie denken, denn, wie wir bezüglich des Kairós' sahen, sind wir es, die sie gestalten. Und zweitens bedeuten Schuldzuweisungen IMMER, dass wir die Meisterschaft über unser Leben verlieren.

Ob ich am Ende zu den Gewinnern oder den Verlierern gehöre, entscheidet sich je nachdem, wie ich von der Welt denke und wie ich sie gestalte. **Gewinner** haben schriftliche Ziele, arbeiten an sich, nehmen die Mühen auf sich, sich ihre unbewussten Programme bewusst zu machen und gegebenenfalls zu ändern. Sie übernehmen 100% Verantwortung für ihr Leben und geben niemandem die Schuld. Deshalb sind Gewinner frei.

Verlierer meinen, sie könnten alles selber machen, sie müssten nichts völlig Neues lernen, sie müssten nichts verändern. Geht etwas schief, und das tut es umso häufiger, je negativer ihre unbewussten Programme sind, dann übernimmt der Verlierer keine Verantwortung, sondern gibt anderen die Schuld. Damit verliert er die Freiheit der Selbstbestimmung und Gestaltung.

Ein gutes Beispiel dafür ist Alex. Er ist sehr schnell, sehr zielbewusst und sehr erfolgreich. Er ist aber auch sehr ungeduldig, so dass eine gute Freundin von ihm einmal zu ihm sagte: „Es wundert mich, dass ein so ungeduldiger Mensch wie du als Chef so einen guten Kontakt zu seinen Mitarbeitern hat." Dies war sehr klug beobachtet, denn Alex hatte das Problem, das viele Ungeduldige haben: Er ärgerte sich schnell. Er ärgerte sich, wenn etwas nicht klappte, er ärgerte sich, wenn etwas zu lange dauerte, wenn jemand nicht schnell genug verstand, wenn ihm auf der Landstraße genau dann ein Auto entgegenkam, wenn er überholen wollte.

Er arbeitete daran, und ich machte ihm deutlich, dass es überhaupt keine ZWINGENDE Verbindung zwischen dem gebe, was er erlebte und wie er darauf reagierte. Das war neu für ihn. Er hatte gelernt: Geht etwas schief, ärgert man sich. Dies war für ihn „völlig normal". Es erstaunte ihn deshalb nicht wenig, als ich ihm sagte, dies sei weder „normal" noch zwingend. **Es**

gebe vielmehr nichts, was ihn zwingen könne, in einer bestimmten Form zu reagieren.
Er solle deshalb von heute an, BEWUSST sein Verhalten ändern. Er solle sich immer wieder FREUEN, wenn etwas nicht so verlaufe, wie er es sich wünsche – denn nun habe er die Gelegenheit, gelassen zu reagieren. Wieder staunte Alex – setzte aber das in der Therapie erarbeitete um.

Und was geschah? Sehr, sehr viel veränderte sich. Er konnte besser und besser zuhören, er reagierte immer geduldiger, wenn Mitarbeiter Dinge nicht so taten, wie er es sich vorgestellt hatte, und er erklärte Sachverhalte viel ruhiger und mit viel weniger Druck. Und was ergab sich daraus? Er hatte kaum noch Grund, sich zu ärgern. Er nutzte sogar die Gelegenheit, wenn ihm gerade dann ein Auto entgegenkam, wenn er überholen wollte, sich zu sagen: „Dies ist eine gute Gelegenheit, Geduld und Gelassenheit zu üben."
So kam er eines Tages zu mir und sagte: „Es ist etwas wirklich Merkwürdiges geschehen. Entweder ich bekomme die Sachen nicht mehr so mit oder sie passieren nicht mehr. Auf alle Fälle habe ich kaum noch Grund, mich aufzuregen! Mein Leben hat sich um 180° verändert. Und dies durch eine Aufstellung und eine Bewusstmachung. Nie wäre ich auf die Idee gekommen, dass es keinen zwingenden Zusammenhang gibt, dass es keine zwingende Folge von Ursache und Wirkung ist, dass ich mich ärgern MUSS, wenn etwas schief geht. Ich verstehe jetzt, wenn du sagst, dies ist Freiheit."

Gelebter Glaube bedeutet deshalb, dass ich mich frage, WAS ich tue, WIE ich reagiere und OB dies zwingend ist. Und so bedeutet Fürsorge in diesem Zusammenhang, dass ich mir bewusst werde, was ich wirklich will. Deshalb sagt Friedrich Nietzsche zu Recht: *Viele sind hartnäckig in Bezug auf den einmal eingeschlagenen Weg, wenige in Bezug auf das Ziel. Die ersten sind die Verlierer, die zweiten die Gewinner.*

Gelebter Glaube und Fürsorge bedeuten aber auch, dass ich mich frage, OB ich überhaupt ein Gewinner werden möchte. Wir erinnern uns an das 7. Kapitel *Perfektionismus und Vollkommensein*. Wer keine Fehler machen darf, kann im Grunde nichts Großes geschweige denn ein Traumziel erreichen. **Er scheitert, weil er unbewusst nicht scheitern darf, und deshalb von Anfang an gescheitert ist. Um Erfolg haben zu können, muss man auch scheitern können.** Es gibt keinen geradlinigen Weg zu seinen Traumzielen. Gelebter Glaube bedeutet deshalb auch, dass man auch dann an sich glaubt, wenn es gerade nicht so klappt, wie man es sich wünschte. Und dass ich verstehe, dass Umwege die direktesten Wege sind, weil es den direkten Weg OHNE Umweg nicht gibt und dass dies, wie wir gleich sehen werden, ein Segen ist!

Fürsorge ist, dass ich auch dann zu mir stehen kann, wenn ich meine Erwartungen nicht erfülle. Es gibt nun mal nicht nur Aufs, sondern auch Abs im Leben. Fürsorge für mich bedeutet, dass ich auch jetzt an mich glaube und weiß, dass es nach jedem Ab ein Auf gibt, wenn ich ein positives Ziel habe und nicht aufgebe. Gelebter Glaube bedeutet sogar, dass ich annehme, dass dieses jetzige Ab eine VORAUSSETZUNG für das kommende Auf ist. Große, wichtige Flüsse fließen mit Schleifen, mit Mäandern. Werden sie begradigt, sind sie häufig kein Segen mehr, weder für die Menschen noch für die Tiere noch für die Umwelt. Deshalb sind Umwege die direktesten Wege, denn sie bewahren uns vor schlechten Eigenschaften wie: Hochmut, Arroganz, Einbildung, Egoismus, Engstirnigkeit und dem mit letzterer häufig verbundenen mangelnden Mitgefühl.

Es ist der gelebte Glaube, der uns bei den Umwegen beziehungsweise dann, wenn wir scheitern, die Zuversicht gibt, dass wir mit Sicherheit zum Richtigen geführt werden. Und eben diese Zuversicht führt zur Bescheidenheit. Und was ist die

Bescheidenheit? Wie ich in meinem letzten Buch geschrieben habe, ist sie eine wichtige Voraussetzung für Fülle.
Und was ergibt Fülle verbunden mit Fürsorge? Sie ergibt den Wunsch und den Mut, für andere da sein zu wollen.

GELEBTER GLAUBE MUSS SICHTBAR SEIN

Deswegen kann man gelebten Glauben und Fürsorge kaum zurückgezogen in seinem Kämmerlein leben. Sie führen einen in die Welt. Und da wird sichtbar, wessen Geistes Kind ich bin. Goethe drückte dies wie immer wunderbar aus: *Es formt sich ein Genie in der Stille, sich ein Charakter im Strom der Welt.*

Als ich das letzte Mal in Indien in einem Tempel war, saß vor mir einer von diesen Männern, die ich „Dauerdevotees" nenne, also diese Typen, die ewig da sitzen, nie genug bekommen, sich immer vordrängeln, jeden Vorteil ausnutzen – und in den vielen Jahren im Grunde nichts dazugelernt haben, außer viel Egoismus. So einer saß nun vor mir und vor ihm ein junger Freiwilliger, der 14 Tage lang absolut aufopfernd von morgens bis abends einen unentgeltlichen Dienst verrichtete. Dieser so genannte *Sevadal* hatte offensichtlich Schmerzen im Knie und konnte es deshalb schlecht im Schneidersitz aushalten. Er massierte sein Knie, streckte das Bein aus und stand dann vom Schmerz getrieben auf. Das störte den „Dauerdevotee", denn er hatte nun etwas weniger Sicht. Es gab aber nichts zu sehen. Alle anderen sahen genug, nur er nicht. Er musste diesem armen Mann mit deutlichen Handbewegungen signalisieren, er solle sich setzen. Und er tat es so lange, bis dieser sich gezwungen sah, sich trotz seiner Schmerzen wieder hinzusetzen. Ich denke, dies macht zur Genüge deutlich, was dieser „Dauerdevotee" in all den Jahren an wirklich Wichtigem gelernt hat, nämlich nichts.

Ganz anders dagegen Dom Helder Camara, der Erzbischof von Olinda und Recife (1909-1999), der sich zudem sehr klug zu den Umwegen äußerte: *Sage ja zu den Überraschungen, die deine Pläne durchkreuzen, deine Träume zunichtemachen, deinem Tag eine ganz andere Richtung geben – ja vielleicht deinem Leben. Sie sind nicht Zufall. Lass dem himmlischen Vater die Freiheit, selber den Verlauf deiner Tage zu bestimmen.*
Vielleicht findet manch einer diesen Ausspruch „zu gläubig", vielleicht auch ein bisschen abgehoben. Vielleicht denken andere: „Möglicherweise hat er gut reden und hat nie etwas Besonderes erlebt."
Aber genau das kann man über den Erzbischof von Olinda und Recife in Brasilien nicht sagen. Er setzte sich unermüdlich und mit hohem Risiko an Leib und Leben für die Armen ein – besonders während der Militärdiktatur. Mehrere Attentate überlebte er, bei einem wurde sein Sekretär erschossen und er als „roter Bischof" terrorisiert. Trotzdem blieb er bei seinem Engagement für die Armen und Bedürftigen – so sehr, dass er 18 Ehrendoktortitel bekam und mehrfach für den Friedensnobelpreis vorgeschlagen wurde! Ein wunderbares Beispiel für gelebten Glauben.

Den Unterschied zwischen Gelassenheit, Weisheit und Mut machte Pfarrer Friedrich Christoph Oettinger (1702-1782) mit seinem „Gelassenheitsgebet" deutlich (wobei manche annehmen, es stamme von jemand anderem!): *Gib mir, Gott, die Gelassenheit, Dinge hinzunehmen, die ich nicht ändern kann, den Mut, Dinge zu ändern, die ich ändern kann, und die Weisheit, das eine vom anderen zu unterscheiden.*

Ein gutes Beispiel für gelebten Glauben in Form von Mitgefühl ist die nachfolgende Geschichte, die als sehr schöne Präsentation übers Internet ihre Verbreitung findet. Sie macht in herausragender Form deutlich, was gelebte Liebe, was gelebtes Engagement beziehungsweise Mitgefühl bewirken können.

Die Internetpräsentation wurde von Mary & Craig Reynolds produziert, ist auf Englisch, mit Bildern versehen und mit Musik unterlegt. Die Bilder und die Musik kann ich natürlich nicht wiedergeben, aber den Text. Deshalb habe ich ihn aus dem Englischen übersetzt. Die Einleitung steht in Anführungszeichen, der restliche Text ist kursiv. Zudem habe ich am Ende der Geschichte das englische „you" mit dem deutschen „du" übersetzt, da ein „Sie" die persönliche Nähe nicht vermittelt hätte, die im Englischen deutlich mitschwingt.

DREI BRIEFE VON TEDDY

„Dies ist die Geschichte von weit mehr als Freundlichkeit, sie handelt vom Wesen und der Kraft, die Mitgefühl dem Menschen gibt. Geschrieben von Elisabeth Silance Ballard, wurde sie ursprünglich 1974 im Home Life Magazine unter dem Titel „Three Letters from Teddy" veröffentlicht. Diese kleine Geschichte wurde zu einem Klassiker, der über drei Jahrzehnte von Person zu Person weitergegeben wurde."

Als sie am ersten Schultag vor ihrer fünften Klasse stand, sagte sie eine Unwahrheit. Wie die meisten Lehrer sah sie ihre Schüler an und sagte, sie würde alle gleichermaßen mögen. Doch das war unmöglich, denn dort in der ersten Reihe zusammengesunken auf seinem Stuhl saß ein kleiner Junge namens Teddy Stallard. Miss Thompson hatte Teddy im Jahr davor beobachtet und bemerkt, dass er nicht gut mit den anderen Kindern spielen konnte, dass seine Kleider dreckig waren und dass er ständig ein Bad brauchen würde. Und Teddy konnte unangenehm sein. So kam es, dass Miss Thompson Freude daran hatte, seine Arbeiten mit einem dicken Rotstift zu korrigieren, vieles dick durchzustreichen und eine große 6 oben drauf zu schreiben. An der Schule, an der Miss Thompson tätig war, wurde von den Lehrern verlangt, dass sie sich die alten Zeugnisse von allen Schülern ansehen. Dasjenige von Teddy ließ sie bis zuletzt liegen. Doch als sie schließlich seine Unterlagen ansah, war sie sehr überrascht.

Der Lehrer der ersten Klasse schrieb: „Teddy ist ein begabtes Kind, das gerne lacht. Er macht seine Hausaufgaben ordentlich und hat gute Umgangsformen. Es ist so eine Freude, dass er da ist." Der Lehrer seiner zweiten Klasse schrieb: „Teddy ist ein hervorragender Schüler, gern gemocht von seinen Klassenkameraden, doch er hat Probleme, weil seine Mutter eine unheilbare Krankheit hat und das Leben zuhause ein Kampf um ihr Überleben ist."
Der Lehrer seiner dritten Klasse schrieb: „Der Tod seiner Mutter muss hart für ihn gewesen sein. Er versucht sein Bestes, aber sein Vater zeigt nicht viel Interesse, und sein Familienleben wird ihn bald in Mitleidenschaft ziehen, wenn nichts unternommen wird."
Teddy's vierter Klassenlehrer schrieb: „Teddy ist zurückgezogen und zeigt nicht viel Interesse an der Schule. Er hat nicht viele Freunde und schläft manchmal in der Klasse."

Nun erkannte Miss Thompson das Problem und schämte sich. Noch schlechter fühlte sie sich, als die Schüler ihre Weihnachtsgeschenke mitbrachten, alle eingewickelt in glänzendem Papier und mit schönen Bändern versehen, außer dem von Teddy. Sein Geschenk war grob eingepackt in schwerem braunem Papier, das er von einer Einkaufstüte genommen hatte. Miss Thompson tat sich schwer, es inmitten all der anderen Geschenke zu öffnen. Einige Schüler begannen zu lachen, als sie ein Strassarmband auspackte, bei dem einige Steine fehlten, und eine Parfumflasche, die noch Viertel voll war. Doch sie übertönte das Lachen der Kinder damit, dass sie ausrief, wie schön das Armband sei, es anlegte und etwas Parfum auf ihr Handgelenk tat. Teddy Stallard blieb nach der Schule noch länger da, um ihr zu sagen: "Miss Thompson, heute riechen Sie wie meine Mutter."

Nachdem die Kinder gegangen waren, weinte sie mindestens eine Stunde lang. An diesem Tag hörte sie auf, Lesen, Schreiben und Arithmetik zu unterrichten. Stattdessen begann sie, Kinder zu lehren. Miss Thompson kümmerte sich besonders um Teddy. Als sie mit ihm arbeitete, wurde sein Geist wieder lebendig. Je mehr sie ihn ermutigte, desto schneller antwortete er. Am Ende des Jahres war Teddy eines der aufgewecktesten Kinder in der Klasse und trotz ihrer anfänglichen Lüge, sie würde alle Kinder gleich mögen, wurde Teddy einer ihrer Lieblinge.

Ein Jahr später fand sie einen Brief von Teddy unter ihrer Tür, worin er ihr sagte, sie sei die beste Lehrerin, die er in seinem ganzen Leben gehabt habe. Sechs Jahre vergingen, bis sie wieder einen Brief von Teddy bekam. Er schrieb ihr darin, er habe die Highschool als Drittbester abgeschlossen, und sie sei immer noch die beste Lehrerin, die er in seinem ganzen Leben gehabt habe.

Vier Jahre danach bekam sie wieder einen Brief, worin er schrieb, er sei auf der Schule geblieben, obwohl manches schwierig gewesen sei. Er habe durchgehalten und werde bald mit der höchsten Auszeichnung das College abschließen. Wieder versicherte er Miss Thompson, sie sei die beste und liebste Lehrerin gewesen, die er je gehabt habe.
Dann vergingen weitere vier Jahre und sie bekam abermals einen Brief. Nachdem er seinen Bachelor gemacht habe, hätte er beschlossen, noch etwas weiter zu gehen. Sie sei immer noch die beste und liebste Lehrerin, die er je gehabt habe. Doch nun war sein Name etwas länger ... der Brief war unterschrieben mit "Theodore F. Stallard, M. D."

Die Geschichte endet hier noch nicht. Eines Frühlings kam noch ein Brief. Teddy schrieb, er habe die Frau fürs Leben gefunden und würde bald heiraten. Er berichtete, sein Vater sei vor einigen Jahren gestorben, und er frage sich, ob Miss Thompson einverstanden wäre, auf dem Platz zu sitzen, der gewöhnlich für die Mutter des Bräutigams reserviert ist.
Natürlich war Miss Thompson einverstanden. Und was tat sie? Sie trug das Armband, bei dem einige Strasssteine fehlten. Zudem hatte sie das Parfum aufgelegt, von dem Teddy erinnerte, seine Mutter habe es beim letzten gemeinsamen Weihnachten getragen. Sie umarmten sich und Dr. Stallard flüsterte in Miss Thompsons Ohr: „Danke, dass du an mich geglaubt hast. Vielen Dank dafür, dass du mir das Gefühl gegeben hast, wichtig zu sein, und dass du mir gezeigt hast, dass ich etwas verändern kann."
Miss Thompson flüsterte mit Tränen in den Augen: „Teddy, du siehst es völlig falsch. Du warst derjenige, der mich lehrte, dass ich etwas verändern kann. Ich wusste nicht, was lehren bedeutet, *bevor ich dich traf."*

Im Text heißt es weiter:
Du kannst nie wissen, welchen Einfluss du auf das Leben eines anderen durch dein Handeln ... oder dein Nichthandeln hast. Bitte bedenke dies auf deinem Lebensweg und versuche, heute etwas Positives im Leben eines anderen zu bewirken.

Sehr klug drückt dies Friedrich Nietzsche aus*: Das beste Mittel, jeden Tag gut zu beginnen, ist, beim Erwachen daran zu denken, ob man nicht wenigstens einem Menschen an diesem Tage eine Freude machen könnte.*

11. ZARTHEIT, ZUFRIEDENHEIT, GLÜCK

Mit allen dreien tun sich viele Menschen schwer. *Zartheit* streben viele nicht an, weil sie diese entweder mit Weichheit oder gar mit Schwäche verwechseln. *Zufrieden* sind viele nicht, weil sie finden, dass es genug Grund zum Klagen gibt. Und *glücklich* sind viele nicht, weil sie glauben, dass ihnen dafür viel zu viel fehlt.

Dabei gibt es genügend Menschen, wie ich in meinem Buch *Fülle* dargelegt habe, die Grund genug hätten, glücklich und zufrieden zu sein, wenn sie nur sehen könnten, WIE VIEL sie haben. In meinem letzten Kapitel des Buches *Fülle* beschreibe ich deshalb ein Paar, das unzufrieden und nicht erfolgreich war und das ich deshalb bat aufzuschreiben, was es alles hatte. Die Liste, die die beiden dann in der Gruppe vorlasen, war sehr lang und die Stimmung war eher peinlich, denn sowohl ihnen als auch den Zuhörern wurde bewusst, WIE VIEL sie hatten, es aber überhaupt nicht werteten.

Ich sage immer wieder, Glück ist Fleiß, denn alle Menschen, die glücklich sind – zumindest die, die ich kenne, – haben es sich erarbeitet. Glück bedeutet aber auch ZU SEHEN, was ich habe und wie viel es ist.

Indien zum Beispiel ist für mich ein faszinierendes Land, dem ich sehr, sehr viel zu verdanken habe. Doch das unendliche Elend unzähliger Menschen, der Schmutz und die Korruption sind für mich schwer zu ertragen. So nehme ich jedes Mal ein absolutes Glücksgefühl wahr, wenn ich am Flughafen durch alle Formalitäten durch bin und wieder nach Hause fliegen kann.

Leider ist vielen Menschen in Europa nicht bewusst, wie gesegnet sie sind, welch eine Sicherheit sie haben, wie wohlhabend beziehungsweise reich sie sind. Ich verdeutliche dies immer wieder damit, dass Menschen hierzulande eine Krankenversicherung besitzen und dass das Gesundheitswesen in Ländern wie Deutschland, Österreich, Schweiz und den skandinavischen Ländern eines der besten der Welt und zudem bezahlbar ist. Viele US-Amerikaner dagegen besitzen keine Krankenversicherung, haben eines der teuersten Gesundheitssysteme der Welt und müssen nicht selten Haus und Hof verkaufen, um ihre medizinische Behandlung zu bezahlen. Und können sie dies nicht bezahlen, dann sterben sie. In den oben erwähnten Ländern dagegen werden selbst die teuersten Transplantationen bezahlt. Wegen dieser wunderbaren Absicherung können sich Menschen in Europa als wohlhabend bezeichnen. Vergleichen sie sich zudem mit vielen Menschen aus Indien oder Bangladesch sind sie wirklich reich.

Und sollte dies noch nicht überzeugen, dann sollten wir uns den folgenden Bericht vergegenwärtigen, der vor kurzem im Radio kam. Ein US-Amerikaner hatte sich durch einen Unfall zwei Finger abgetrennt, seine Versicherung zahlte aber nur das Annähen eines Fingers. Da er selber kein Geld hatte, musste er auf dem Operationstisch entscheiden, welchen er angenäht haben wolle.

Diese Schreckensszenarien gibt es in Europa in den besagten Ländern nicht – und sollte uns deshalb, so finde ich, einen absoluten Grund geben, glücklich und zufrieden zu sein. Und können wir es trotz allem immer noch nicht, dann sollten wir uns vor Augen führen, wie es FÜR UNS wäre, wenn wir aus Geldmangel einen Finger verlören.

Zartheit

Die Zartheit ist nicht so wie Glück und Zufriedenheit dadurch zu erlangen, dass ich erkenne, was ich habe und sehe, wie viel es möglicherweise ist. Zartheit ist etwas, was Kinder haben und das wir durch falsche, harte, unempathische, nicht nachempfindende Erziehung verlieren. Es ist meiner Ansicht nach eine Aufgabe von Therapie, Menschen ihre Zartheit wieder finden und sie erleben zu lassen, so dass diese Eigenschaft eine der Voraussetzungen für Glück und Zufriedenheit ist.

Zwei Frauen in einer Gruppe hatten ihre Zartheit verloren und lebten ganz stark ihre Härte, denn nur damit hatten sie die ziemlich schreckliche Situation ihrer Kindheit überleben können. Beide waren zudem mitunter recht unklar und zum Teil egozentrisch. Ich bat sie deshalb, die Härte und die Zartheit aufzustellen. Die Härte hatte sie zunächst beide total im Griff. Sie klärten mit ihren Eltern, holten sich Stütze bei positiven Instanzen und kamen damit beide zu ihrer Zartheit. Die Veränderungen beider verblüffte und erfreute uns alle: Sie strahlten nun eine Zartheit, Klarheit und Schönheit aus, die vorher von ihrer Härte völlig verdeckt worden waren. Die Zartheit ließ sie regelrecht aufblühen und sie erlebten eine Zufriedenheit und ein Glück, die sie vorher weder in dieser Intensität noch in dieser Klarheit erlebt hatten. Außerdem fühlten sie sich selbst, einander und der Gruppe gegenüber so nah wie nie zuvor. Der Gruppe ging es mit den zwei Frauen ebenso.

Etwas wirklich Wunderbares war geschehen. Sie erlebten, welch ein Geschenk die Zartheit ist, wie sie ihnen das bringt, was sie sich immer gewünscht haben, nämlich Kontakt und Anerkennung. Und dass die Zartheit viel besser für sie sorgt und damit viel besser für sie ist als die Härte, auf die sie bisher gesetzt hatten, die ihnen aber außer Problemen nichts gebracht hatte.

Wieder einmal können wir sehen, wie begabt wir auf die Welt kommen und wie wichtig es ist, dass Eltern diese unsere große Begabung glücklich und zufrieden zu sein, unbedingt fördern.

Wie sehr Zartheit, Zufriedenheit und Glück miteinander verbunden sind, zeigen die nachfolgenden Geschichten deutlich.

Von meinem italienischen Freund Ezio, der mir immer wieder wunderbare Präsentationen schickt, bekam ich die folgenden vier Geschichten. Im italienischen Text steht „innocenza", was man korrekterweise mit „Unschuld" übersetzt. Ich finde aber, dass Zartheit viel besser den tieferen Sinn dieses Berichts wiedergibt. Nun zur ersten Geschichte, die sogleich mit einem wunderbaren (und deshalb von mir hervorgehobenen) Satz beginnt:

Mit der Zeit verlieren wir unsere Zartheit, die nichts anderes ist als die Weisheit, die Gott uns geschenkt hat.

Der Autor Leo Buscaglia wurde einst gebeten, in einer Jury mitzumachen, deren Ziel es war, das liebevollste, das zarteste Kind zu finden.
Es gewann ein vierjähriger Junge, der neben dem Haus eines älteren Mannes wohnte, dessen Frau vor kurzem gestorben war. Als der Junge sah, dass der Mann in seinem Garten saß und weinte, ging er zu ihm und setzte sich neben ihn.
Als seine Mutter ihn später fragte, was er dem Nachbarn gesagt hätte, antwortete der Junge: „Nichts, ich habe ihm nur geholfen zu weinen".

Die zweite Geschichte: *Die Lehrerin Debbie Moon schaute sich mit den Kindern der ersten Volksschulklasse die Bilder einer Familie an. Auf dem Foto war ein Junge, dessen Haarfarbe anders war als die des Rests der Familie. Da sagte ein Schüler, dass dieser Junge vielleicht adoptiert sei. Da rief ein Mädchen aus: „Ich weiß alles über Adoptionen, denn ich bin adoptiert worden." „Was bedeutet es, adoptiert zu sein?", fragte ein anderer Junge. „Es bedeutet", antwortete das Mädchen, „dass du anstatt im Bauch im Herzen deiner Mutter herangewachsen bist."*

Die dritte Geschichte: *Jamie versuchte unbedingt eine Rolle in der Aufführung seiner Klasse zu bekommen. Seine Mutter befürchtete, er könne sehr enttäuscht sein, wenn er nicht ausgewählt würde. Am Tag, an dem die Rollen verteilt wurden, kam Jamie aus der Schule, ging zu seiner Mutter und seine Augen strahlten vor Stolz und Freude. „Stell dir vor, Mami", rief er, und sagte dann Worte, die immer in ihrem Herzen als große Lektion blieben: „ich bin ausgewählt worden, um zu klatschen und anzufeuern."*

Die vierte Geschichte: *Ein zehnjähriger Junge stand barfuß und zitternd vor Kälte vor dem Schaufenster eines Schuhgeschäfts. Eine Frau näherte sich dem Jungen und fragte: „Mein kleiner Freund, was schaust du dir mit so viel Interesse in diesem Schaufenster an?" „Ich bitte Gott, mir ein Paar Schuhe zu schenken", antwortete der Junge. Die Frau nahm ihn bei der Hand und sie gingen in das Geschäft. Sie bat den Verkäufer, ihr ein halbes Dutzend Strümpfe zu geben und dann bat sie um ein Gefäß mit Wasser und ein Handtuch. Nachdem der Angestellte ihr gebracht, worum sie gebeten hatte, ging die Frau mit dem Jungen in einen hinteren Teil des Geschäfts, wusch seine Füße und trocknete sie ab. Der Verkäufer brachte ihr nun die Strümpfe. Die Frau ließ den Jungen sie anziehen und kaufte ihm dann ein Paar Schuhe. Sie ließ die andern Strümpfe einpacken, streichelte dem Jungen liebevoll über den Kopf und sagte: „Jetzt geht es dir mit Sicherheit besser!" Als die Frau schon dabei war weg zu gehen, nahm der Junge ihre Hand, sah sie mit Tränen in den Augen an und fragte sie: „Bist du die Frau vom lieben Gott?"*

In der Präsentation heißt es weiter: *Denke immer daran, dankbar zu sein. (...) Danke dafür, verstanden zu haben, wie wichtig es ist, niemals die Zartheit zu verlieren. Möge dein Tag voller Licht und ... voller Zartheit sein!*

Eine neue Kultur

Es ist der langjährige Frieden, in dem wir leben, und es sind die medizinischen Errungenschaften und die Möglichkeit, sie nutzen zu können, die eine neue Kultur der Zartheit ermöglichen. In früheren Jahrhunderten, die von unzähligen Kriegen bestimmt waren, konnten sich Menschen keine Zartheit erlauben. Sie zogen vielmehr von Krieg zu Krieg und waren so verroht, dass sie öffentliche Hinrichtungen als Volksfest feierten. Dabei waren viele Hinrichtungsformen unendlich grausam. Daran kann man sehen, wie unglaublich hart die Menschen damals waren. Außerdem war in manchen Jahrhunderten die Kindersterblichkeit riesig. Der Bruder von Giorgio Vasari, dem großen Architekten der Renaissance in Florenz, hatte 20 Kinder, die fast alle im Kindesalter starben. Außerdem erreichte keines von ihnen das 30. Lebensjahr. Kann man sich den Schmerz der Eltern vorstellen, die 20 Kinder verlieren?

Dass wir dies nicht mehr erleben müssen, verdanken wir der modernen Medizin. Sie hat die Kindersterblichkeit auf 3,8 pro 1000 Lebendgeburten in den ersten fünf Jahren sinken lassen. Es müssen immer noch Eltern um ihre Kinder trauern. Und jedes tote Kind ist eins zu viel. In früheren Jahrhunderten waren es aber Hunderte Eltern, die ihre Kinder verloren. So erreichte weniger als die Hälfte der Kinder im Mittelalter das 14. Lebensjahr. Und erreichten sie das 16. Lebensjahr, dann waren sie bald reif für den Militärdienst und kamen dort um.

Wir in Europa haben eine hervorragende Gesundheitsversorgung und keinen Krieg – und ich denke deshalb auch keine Todesstrafe, denn die verroht. Den Umkehrschluss haben wir in den USA: eine schlechte Gesundheitsversorgung, immer neue Kriege und immer noch in den meisten Staaten die Todesstrafe.

Zur Zartheit gehört untrennbar die Liebe. Dies haben uns die obigen Kinder deutlich gezeigt. Bemerkenswert in diesem Zusammenhang ist, wie der indische Weise Krishnamurti Liebe definiert: *Zur Liebe gehören Großzügigkeit, Fürsorge, anderen nicht wehzutun, im Anderen kein Schuldgefühl zu wecken, großmütig, höflich zu sein und sich so zu verhalten, dass unsere Worte und Gedanken von Mitgefühl bestimmt sind.*
Dies sind alles Eigenschaften, die aufs engste mit der Zartheit verbunden sind, die wir aber nicht leben können, wenn wir ein miserables Gesundheitswesen haben, Kriege führen und Menschen hinrichten.
Wie viel Zartheit müssen wir verloren haben, wenn wir dazu in der Lage sind?!

Wir leben in einer neuen Zeit. Selbst die Wirtschaftskrise macht deutlich, WIE SEHR alle miteinander verbunden sind, denn ein ökonomisch so wenig bedeutendes Land wie Griechenland kann ganz Europa, nein, die ganze Welt in Atem halten. Macht dies nicht überaus deutlich, wie eng die Verbindung untereinander ist und wie wenig die Interessen des Einen von denen des Anderen zu trennen sind?
Zartheit bedeutet, wir sahen es an den vier Kindern, dass die Liebe fraglos fließen kann, dass eine Einheit zwischen mir und meinem Gegenüber gelebt wird.
Härte trennt diese Einheit, Kriege trennen diese Einheit, Hass trennt diese Einheit, Zerstörung trennt diese Einheit. Und genau dies darf nicht geschehen.

Dies wird mir immer besonders deutlich, wenn ich die Wunden sehe, die der Zweite Weltkrieg in Europa geschlagen hat. Unendlich viele wundervolle Menschen kamen um. Viel Wunderschönes, unglaublich Künstlerisches, Zartes ging für immer verloren. Zum Beispiel zerstörten die Nazis die großartige und auch wegen der Akustik hervorragende Oper in London. Heute gibt es eine neue Oper. Sie kann aber weder die Schönheit ersetzen noch besitzt sie die herausragende Akustik, die die alte besaß. Etwas Einmaliges ist für immer verloren gegangen.

Das menschliche Leben ist ein solches großartiges Kunstwerk und nur Menschen, die ihre Zartheit völlig verloren haben, können es leichtfertig auslöschen. Sie sind dann ebenfalls in der Lage, die wunderbarsten Kunstwerke mutwillig zu zerstören, wie dies in der Menschheitsgeschichte immer wieder stattgefunden hat und leider immer noch stattfindet.
Wir sollten deshalb ja nicht unsere Zartheit aufgeben, wir sollten vielmehr unbedingt die Vision in uns wach halten, dass es ein goldenes Zeitalter gibt, dass wir es schaffen und dass wir es bereits JETZT leben können. **Denn seine Zartheit zu leben und die anderer zu achten, ist praktizierte Fürsorge.**

Erlebt man, wie wir dies in der Gruppe tun durften, welch eine unglaublich verbindende, weise, heilende Kraft die Zartheit ist, dann wird einem unmittelbar bewusst, dass sie eine Grundvoraussetzung des goldenen Zeitalters darstellt. Dass wir sie unbedingt leben müssen, um die Welt zu schaffen, die wir uns so sehr wünschen: Eine Welt, in der die Menschen in Frieden miteinander, mit den Tieren und Pflanzen leben, und achtsam mit der Umwelt umgehen. Etwas, das heute bereits die indische Heilige Amritanandamayi wundervoll lebt. Wir sehen: Selbst das Allergrößte ist wirklich.
Daraus ergibt sich, dass Achtsamkeit und Zartheit die Grundvoraussetzungen für Zufriedenheit, Glück und Fürsorge sind und wir sie unbedingt leben sollten. Sie führen uns zu unserer wahren Bestimmung und bedingen außerdem, dass wir glücklich und zufrieden werden und bleiben, indem wir für uns und für andere sorgen, und dafür sorgen, dass andere für sich und uns sorgen.
Das Wichtigste ist aber, dass wir etwas tun, dass wir Neues wagen. Denn was sagte Walt Disney so treffend? *You can dream, create, design and build the most wonderful place in*

the world, but it requires people to make a dream a reality – du kannst den wunderschönsten Platz in der Welt erträumen, erschaffen, zeichnen und bauen, aber es bedarf der Menschen, um aus einem Traum eine Realität zu machen!

12. FÜRSORGE UND THERAPIE

Therapie ist in vielen Fällen gelebte Fürsorge. Das klingt vielleicht so, als würde ich „pro domo" sprechen, d.h. meine eigenen Interessen vertreten beziehungsweise im Sinne von Psychologie allgemein reden.
Wie viele Menschen aber kenne ich, die sich in einer Sackgasse befanden, aus der sie keinen Ausweg sahen, und denen eine geglückte Therapie eine neue Ausrichtung gab, wodurch sie zu Selbstwert, Zufriedenheit und häufig sogar zu Glück und Wohlstand kamen.
Therapie ist in vielen Fällen eine große Hilfe – und ein Segen, wie dies auch der Frieden ist.
Ich denke, es ist kein Zufall, dass die Psychologie sich erst nach dem Zweiten Weltkrieg richtig etabliert hat.
Man schlage nur das Geschichtsbuch irgendeines Landes auf und gehe ein paar Jahrhunderte zurück: dann sieht man, wie sehr die Menschen unter Kriegen, Hungersnöten und Epidemien gelitten haben. Nicht selten wurde die Bevölkerungszahl einer Stadt halbiert, auf ein Viertel reduziert oder sogar die ganze Stadt dem Erdboden gleich gemacht und ihre Einwohner entweder getötet oder als Sklaven verkauft.

Das ist bei uns auch nicht so lange her. Der Zweite Weltkrieg endete vor knapp 70 Jahren. Das letzte Sklavenschiff verließ Afrika in Richtung Brasilien 1888 – auch noch nicht so lange her. In den USA wurde die Sklaverei vor über 100 Jahren abgeschafft, aber noch 1963 musste Martin Luther King seine berühmte Rede halten, worin er eine Zukunft herbei träumte (*I have a dream*), in der Schwarze und Weiße gleich behandelt werden und gleichgestellt sind. Bald darauf wurde er erschos-

sen. Erst 1964 hob der Präsident Lyndon B. Johnson die Rassentrennung auf, was einige weiße Senatoren bis zum Schluss verhindern wollten.
Hier wird deutlich, dass die derart existenziell getroffenen und betroffenen Menschen andere Bedürfnisse hatten, als einen Therapeuten aufzusuchen.

Mit anderen Worten: Es müssen Frieden und soziale Sicherheit in einem Land herrschen, damit Psychologie angewendet werden und sich entwickeln kann.
Es muss aber auch ein Bewusstsein für den Wert von Therapie da sein. So reichen viele Beamte meine Rechnungen weder bei der Krankenkasse noch bei der Steuer ein, weil sie Angst haben, dass die Therapie bei mir in ihren Akten landet und sie als „verrückt", instabil oder nicht belastbar eingestuft werden. Dass genau das Gegenteil der Fall ist und viele, die keine Therapie aufsuchen, viel eher instabil beziehungsweise nicht belastbar sind oder gar von Burn-Out bedroht werden, kümmert viele Entscheidungsträger offensichtlich nicht. D.h. mit anderen Worten: Therapie ist immer noch für die Verrückten. „Normale" machen keine Therapie, brauchen keine Therapie. Welch ein Trugschluss!

ACHTZIG, FÜNFZEHN, FÜNF

Auf der anderen Seite haben Menschen, die so denken, in gewisser Hinsicht auch recht. Denn was manche Therapeuten tun beziehungsweise nicht tun und was sie erreichen, ist zum Teil „suboptimal" – wie es unser Ex-Bundeskanzler Gerhard Schröder einmal bezüglich seines eigenen Verhaltens formulierte.
Das Problem bei Therapie ist, dass die Ergebnisse beziehungsweise Nicht-Ergebnisse vielfach deutlich sichtbar sind. Hat jemand zum Beispiel ein Burn-Out-Syndrom, ist krankgeschrieben, macht eine Therapie und es bessert sich nichts, dann

ist es klar, dass die Therapie nichts gebracht hat. Und schon kommen die Sätze wie: „Der So-und-so war in Therapie. Hat aber nichts gebracht. Dass er annahm, dass so ein Quatsch etwas bringt, zeigt doch schon, wie schlecht es ihm geht."
Wäre er dagegen bei einem Zahnarzt gewesen und hätte sogar einen Backenzahn verloren, keiner würde es besonders kommentieren.

Das Problem ist, dass in allen Berufen das bereits weiter vorne erwähnte Pareto-Prinzip Gültigkeit hat. Es besagt, dass sich alles nach der Formel 80:20 verhält. 20% der Mitarbeiter verrichten 80% der Arbeit. 80% der Mitarbeiter verrichten 20%. Entlässt man die Hälfte der 80%, so teilen sich die restlichen wieder in 80:20 auf.
Und so gibt es in allen Berufen 80%, die 20% Wissen haben und 20%, die 80% Wissen haben. Und unter diesen 20% gibt es 5%, die hervorragend sind. Sie machen den absoluten Unterschied.
Das sah ich bei Joachim, der bei einem dieser 80% Kardiologen war. Das Ergebnis seiner Behandlung war, dass es Joachim miserabel ging und er immer wieder wegen seiner Herzinsuffizienz einen Rollstuhl brauchte. Dann kam er durch die Vermittlung einer hervorragenden Ärztin zu einer Koryphäe, die wahre Wunder bewirkte. Man kann sagen, Joachims gesundheitliche Besserung beträgt 1000%, denn er kann nun wieder ein völlig normales Leben führen.

Es ist nun schwer zu sagen, wer als Therapeut wirklich hilft. Da müht sich der eine jahrelang ohne sichtbares Ergebnis ab, und ein anderer sieht den gleichen Patienten einmal, trifft den richtigen Punkt, und plötzlich ergibt sich eine Entwicklung, die bis dahin unmöglich schien.
Es gibt aber auch Dinge, die TherapeutInnen tun, die gegen ganz klare Regeln verstoßen. Dann, so finde ich, schließen sich Therapie und Fürsorge aus.

Eine dieser Regeln ist, dass kein Behandelnder sich in bestehende Therapien einmischt – oder auch nur eingreift.
Ich erlebe es immer wieder, dass dies geschieht. Es gibt aber auch TherapeutInnen, die sehr vertrauensvoll und mit großer Achtung mir gegenüber, Patienten an mich überweisen, damit diese eine Gruppe von mir besuchen. Gleichzeitig wollen sie aber ihre wöchentlichen Behandlungen fortführen.
Dies birgt ein enormes Übertragungsrisiko, wie wir im Folgenden sehen werden.

DAS ÜBERTRAGUNGSRISIKO

Vor vielen Jahren, als ich noch mit bioenergetischer Analyse arbeitete, wurde ich als Vortragender zu einem Jungianer Kongress eingeladen. Einigen Analytikern und Analytikerinnen gefiel, was ich da machte, denn meine Arbeit verdeutlichte, dass es über den Körper möglich war, an tiefste Gefühle zu kommen. Außerdem beschrieb der berühmte Jungianische Lehranalytiker Hans Dieckmann, wie einer seiner Patienten durch ein Körpertherapie-Seminar zu einem neuen Urvertrauen gelangte und diese Erfahrung auch von Dauer war.
So ergab es sich, dass einige Analytiker zu mir in die Therapie kamen und einige Lehranalytiker mir ihre Analysanden schickten. Mit den Analytikern ging alles sehr gut und ich habe da einige sehr feine Menschen kennen lernen dürfen.
Mit den Analysanden ging es auch gut. Sie kamen in tiefe Gefühle und lösten viel auf. Dann meldete sich aber eine Analytikerin und besprach mit mir die Übertragungssituation, in die sie nun kam.

Was hier geschah, war die klare Bestätigung von Freuds *Abstinenzregel*, d.h. dass der Therapeut darauf achten MUSS, dass sein Patient seine Themen nicht verschiebt, dass er nicht spaltet, nicht vermeidet. Und genau dahin waren die Patienten gekommen, die sowohl eine klassische Analyse als auch eine

Bioenergetische Analyse machten. Sie spalteten insofern, als die Psychoanalyse nun nur noch schleppend voranging, die Bioenergetik dagegen sehr intensiv war. Wie mir die sehr kompetente Analytikerin versicherte, lief ihre Therapie mit dem entsprechenden Patienten vor der Arbeit mit mir sehr gut. Sie hatte gehofft, dass ihr Patient über die Körperarbeit an vorsprachliche Empfindungen kommen würde – was er auch tat –, dass dies aber nicht zu einer Spaltung führen würde. Aber genau dies war leider geschehen. Wir schlossen beide daraus, diesen Versuch einvernehmlich mit dem Patienten zu beenden, was uns gut gelang.

Wir kommen hier zu einem wichtigen Punkt: Der Patient und alle anderen Patienten, die folgten, taten sich sehr schwer, die Therapie bei mir aufzuhören. Nicht deshalb, weil diese so besonders gut war, sondern – wie ich immer wieder bestätigt bekam –, weil sie DANACH gekommen war. Das ist das große Problem: Die nachfolgende Therapie ist (fast) immer besser, weil sie, wie wir sahen, wunderbar zur Spaltung verwendet werden kann.
Die Probleme, die sich daraus ergeben, sind aber riesig. Denn was die oben erwähnte Analytikerin verhinderte, war von größter Bedeutung. Bricht nämlich ein Patient eine Therapie ab, in der er zum Beispiel gerade seine negative Übertragung erlebt und deshalb bearbeiten müsste, und geht in dieser Situation zu einem anderen Therapeuten, dann kann etwas sehr Folgenschweres geschehen: *Die negativen Gefühle werden gleichsam bei dem verlassenen Therapeuten gelassen.*

D.h. die neue Therapie geht wunderbar, aber „auf Kosten" der vorherigen Therapie, die nun „die schlechte" ist. Wie wir aber an der oben erwähnten Analytikerin sahen, war sie alles andere als schlecht, sondern hoch kompetent und ein Segen für ihre Patienten. Sie als schlecht zu bezeichnen, wäre deshalb nichts anderes als eine Illusion gewesen, die verhindert hätte, dass die negativen Gefühle, die unbedingt bearbeitet werden mussten, Thema geworden wären. Es wäre damit die Gefahr entstanden, dass sie gar nicht mehr gelöst worden wären. Und was bedeutet das? Die neue Therapie geht wunderbar. Die alte war schlecht, an ihr hängen aber die negativen Gefühle, die nun nicht bearbeitet werden. Und was passiert mit ihnen? Sind sie nun weg? Einfach „ausgelagert"? Ja, aus dem BEWUSSTSEIN! Nicht aber aus dem Unbewussten. Sie sind damit jederzeit bereit, wieder aktiv zu werden, wenn sich zum Beispiel durch eine neue Beziehung eine Gelegenheit dazu bietet.

Anders ausgedrückt: Die neue Therapie läuft wunderbar, weil sie in Wahrheit auf Kosten der vorherigen geht, damit aber auf Kosten der Patienten. Es ist dies eine absolut narzisstische Problematik des nachfolgenden Therapeuten, der sich jetzt einreden kann, er mache alles viel besser und sei so viel klüger als der vorherige. Ein äußerst gefährliches Spiel, denn wir wissen, spätestens nach den Aufsätzen des oben erwähnten Hans Dieckmanns, wie schnell Patienten das Unbewusste ihres Therapeuten erfassen und bedienen – das heißt, dass sie sich zum Beispiel so verhalten, wie sie UNBEWUSST annehmen, dass es ihrem Therapeuten gefällt.

Wie gefährlich dieser Narzissmus sein kann, sehen wir an Ferdinand und Beatrice. Sie machten bereits eine Weile eine Paartherapie bei mir und beide waren zufrieden mit ihrer Entwicklung. Dann begann Beatrice eine psychoanalytisch fundierte Coaching-Ausbildung bei einer Analytikerin, denn sie wollte ihr Wissen als Trainerin vertiefen.

Nachdem sie einige Male mit der Analytikerin gearbeitet hatte, sagte diese ihr, sie solle die Therapie bei mir abbrechen (!), ich würde nicht gut arbeiten, sie solle nur noch bei ihr Therapie machen. Beatrice war verständlicherweise sehr überrascht und verunsichert. Sie fragte die Analytikerin aber auch noch, ob diese auch Paartherapie gebe? Nein, das tue sie nicht, antwortete sie – offensichtlich ohne zu bedenken was sie sagte! Sie wollte eine Frau dazu bewegen, eine gut laufende Paartherapie ohne ersichtlichen Grund abzubrechen, damit sie bei ihr eine Einzeltherapie machte!

Beatrice war klug und mutig und sprach alles in der Paargruppe an. Ferdinand staunte nicht wenig, denn er hatte bis dato nicht erfahren, was sich hier ohne sein Wissen zusammengebraut hatte. Ferdinand stand zu sich und zur Beziehung. Er sagte deutlich, was er brauchte, nämlich eine GEMEINSAME Therapie. Und auch ich bezog klar Stellung, indem ich meinte, ihr sei hier ein absolut narzisstisches Angebot gemacht worden. Sie brach deshalb sofort die andere Therapie ab und blieb mit ihrem Mann in der Paartherapie. Das hat sich gelohnt, denn sie haben gemeinsam sehr viel erreicht: eine hervorragende Ehe, Glück, Freude, Fülle und finanzielle Sicherheit, eine Krankenversicherung (Ferdinand war nicht versichert, als sie mit der Therapie anfingen), einen Steuerberater (auch den hatte er zuvor nicht) sowie Klarheit und Frieden mit der Ursprungsfamilie. Zudem haben sie 500.000 Euro gespart, weil Ferdinand Schulden hatte und meinen Rat umsetzte, mit den Gläubigern über seine Schulden zu reden.

Um all dies wollte die Analytikerin die beiden bringen. Und was hätte sie ihnen geboten – außer Spaltung?

Bemerkenswert ist, was Beatrice mir dazu später schrieb: „Hätte ich die Ausbildung bei ihr gemacht, hätte sie mit ihrer Haltung meine Beziehung zu Ferdinand als meinem Mann und zu Dir als meinem Therapeut sehr negativ beeinflusst. Für mich war an dieser Sache entscheidend, dass ich gemerkt habe, dass ich mich noch mal ganz klar für Dich entschieden habe. Ich habe in der Tiefe einen Zugang zu dem Thema „Vertrauen" bekommen. Das war für mich das Wunderbare an dieser Erfahrung."

Beatrice bringt das Thema damit präzise auf den Punkt: Wer leichtfertig eine Therapie abbricht, bringt sich um die Arbeit an Misstrauen und Vertrauen. Denn nur dadurch, dass ich mein

Misstrauen aufarbeiten kann und ERLEBE, dass der/die TherapeutIn mir dabei entscheidend hilft, entsteht Vertrauen.

Einen noch eklatanteren Fall erlebte ich vor einiger Zeit. Ein Paar war bei mir und brauchte sichtlich Hilfe. Er, Patrick, war drogenabhängig und sie, Dorothea, hatte große narzisstische Probleme. Die Therapie bewirkte, dass er aufhörte, Drogen zu nehmen, wirklich tüchtig seine Selbstständigkeit aufbaute und die Familie gut versorgte.

Nun war es so, dass Dorothea immer wieder ihre Gegenwartsfamilie, also sich, Patrick und die Kinder aufstellen wollte. Das ergab sich aber nie, weil Patricks Probleme und Themen immer wieder die therapeutische Richtung bestimmten. Dann ging es ihm und auch ihnen gut, und so gab es keinen Grund mehr, die Gegenwartsfamilie nicht aufzustellen.

Zu Aufstellungen ist nun zu sagen, dass sie eine absolut eigene Dynamik haben. Das ist das Gute an ihnen, denn der Therapeut kann nicht manipulieren. Was nicht stimmt, wird offensichtlich und ist auch dadurch nicht zu ändern, dass man zum Beispiel versucht, etwas zu erzwingen. Diese Eigendynamik bedingt aber auch, dass plötzlich Dinge sichtbar werden, die man vorher nicht im Geringsten vermutet hatte. So passiert es mir immer wieder, dass aus einer scheinbar harmlosen Aufstellung im Nu ein großes Thema wird. Ich denke dabei zum Beispiel an die Aufstellung eines Mannes, der in einem Seminar sehen wollte, wie es um seine Gegenwartsfamilie bestellt war, denn er spürte, dass besonders seine Frau, aber auch die Kinder nicht ganz glücklich waren. Kaum stand die Protagonistin, die seine Frau darstellte, griff sie an ihre Seite und sagte: „Hier sind andere Männer. Ich bin nicht treu. Ich bin auf dem Absprung." Damit war aus einer Standardaufstellung im Handumdrehen ein Familiendrama geworden und es erforderte von allen Beteiligten viel Einsatz, damit diese Ehe gerettet werden konnte, was Gott sei Dank auch glückte.

Ähnlich „harmlos" verlief zu Beginn auch Patricks und Dorotheas Aufstellung der Gegenwartsfamilie – bis etwas äußerst Dramatisches geschah: Die Kinder warfen ihre Mutter aus dem Seminarraum mit den Worten, sie würde die Familie zerstören. Wir alle waren sprachlos. Weder die beiden noch ich noch die Gruppe hatten im Entferntesten mit einem derartigen Ausgang gerechnet. Und was war das Schlimmste? Es stimmte!
Sowohl ich als auch die Gruppe und Patrick stützten Dorothea, wo wir nur konnten. Wir bewunderten ihre Haltung, sprachen ihr Mut zu und drückten ihr, wo wir nur konnten, unser Mitgefühl aus. Dankbar und sichtlich gestärkt verabschiedete sie sich am Ende der Gruppe.
Dann erfüllte sich aber, was die Aufstellung gezeigt hatte. Sie begann eine Einzeltherapie bei einer Frau, beendete die Paartherapie und reichte die Scheidung mit dem Ziel ein, alles zu tun, um das alleinige Sorgerecht für die Kinder zu bekommen. Damit haben die neue Therapeutin und Dorothea mutwillig eine Familie zerstört, die mit ein bisschen mehr Engagement wunderbar hätte aufblühen können.

Wo bleibt hier die Fürsorge? Dorothea sorgt nicht für sich, nicht für Patrick, nicht für die Kinder. Sonst würde sie niemals die Familie zerstören. Die Therapeutin sorgt nicht für sie, sonst würde sie Dorothea niemals bei diesen zerstörerischen Schritten unterstützen. Die Therapeutin sorgt aber auch nicht für sich, denn eine intakte Familie zu zerstören, gehört zu dem Schlimmsten, was ein Therapeut tun kann.
Warum machen Therapeuten so etwas? Aus Unwissenheit und besagtem Narzissmus. Ein Freund von mir, der Bauunternehmer ist und den ich fragte, warum so viele seiner Kollegen immer wieder Konkurs anmelden, antwortete mir: „Viele haben zu viel Geld und zu wenig Verstand". Auf manche Therapeuten übertragen, könnte man sagen, sie haben zu viel Macht bei dem, was sie können.

DIE ILLUSION

Vor 10, 15, 20, 25 und auch vor 30 Jahren gab ich schon Therapie. Ich erinnere noch genau die Anfänge meiner Arbeit in Berlin. Ich bereitete schöne Übungen vor und arbeitete die Hälfte am Vormittag und die andere Hälfte am Nachmittag. Die Teilnehmer machten die vorgegebenen Übungen, schwitzten stark, kamen in tiefe Gefühle, gaben nach jeder Übungssequenz ein Feedback und gingen froh und dankbar nachhause. Sie waren sehr zufrieden mit meiner Arbeit und empfahlen mich so begeistert weiter, dass ich richtig lange Wartezeiten hatte.
Habe ich den Menschen geholfen? Anders gefragt: Würde ich mich trauen, dies heute meinen Seminarteilnehmern anzubieten, was ich damals machte? Niemals! Warum? Weil sie sich nie damit zufrieden gäben. Die Fragen sind so komplex, die Gebiete so weit gefächert, dass ein paar schöne Übungen einfach deplatziert wären.
Was ist aber das Problem? Dass sowohl meine Patienten als auch ich mit der damaligen Art zu arbeiten zufrieden waren. Sie kannten nichts anderes, ich kannte nichts anderes. Das macht die Illusion aus: Man glaubt, etwas zu kennen, was man genau besehen, gar nicht weiß.
Deswegen bin ich heute auch so vorsichtig mit Aufstellungen. Nicht nur, weil immer wieder so etwas wie in den oben geschilderten dramatischen Fällen passieren kann. Das Wichtigste ist nämlich, den Punkt zu treffen. Irgendetwas ist immer aufgestellt, und irgendetwas kommt immer heraus. Die Frage ist nur: Verändert es etwas, hilft es – auf DAUER?

Das ist die Macht der Illusion: Wir glauben, genau zu wissen, was richtig ist. Dabei erfüllen wir in dem Moment möglicherweise nur Descartes' Spruch: *Das einzige, was auf der Welt gerecht verteilt ist, ist der Verstand, denn jeder glaubt, genug davon zu haben.* So arbeitete ich zum Beispiel mit einem recht schwierigen Mann. Ich gab mir redlich Mühe herauszufinden, was er wirklich brauchte. Ich fand nichts, denn alles was ich ansprach, war für ihn kein Thema. Da kamen mir meine Erfahrung, das Achten auf meine Gegenübertragung, das Hören auf mein Gefühl und die Tatsache zu Hilfe, dass ich schon lange nichts mehr erreichen, geschweige denn erzwingen möchte. Ich lehnte mich deshalb zurück und hörte ihm aufmerksam zu. Nach einer Weile kam es mir: „Er will gar nicht arbeiten, er will auch gar nicht in der Gruppe sein." Deswegen fragte ich ihn: „Wer hat dich hierher geschickt?" „Meine Frau!", war die prompte Antwort. „Und du wolltest nicht und willst auch nicht hier sein?" „Nein!", antwortete er ganz ehrlich. Ganz schüchtern fragte er dann: „Darf ich noch bis zum Ende in der Gruppe bleiben?" Natürlich durfte er – besonders auch deshalb, weil er mir eine so wichtige Lehre erteilt hatte: **Lebe nicht die Illusion, schnell zu wissen, was jemand wirklich braucht.**

Das ist auch der Grund dafür, dass ich mit der Zeit immer mehr Zeit brauche. So begleitet mich ständig die Frage: *„Arbeite ich am Offensichtlichen und damit an einer Illusion, oder arbeite ich an dem, was mein Gegenüber wirklich braucht?"* Ich habe nämlich zu häufig erlebt, dass das Offensichtliche, das scheinbar Klare, sich sehr schnell als das offensichtlich Unklare und damit Falsche herausgestellt hat.

Deshalb bin ich heute in der paradoxen Situation, dass ich immer mehr weiß, aber immer langsamer werde. Denn ich will keine scheinbar hervorragenden Lösungen anbieten, sondern in Ruhe den Punkt finden, um den es wirklich geht. Ich habe zu viele „hervorragende Lösungen" gesehen und erlebt, die gar nichts gebracht haben. Andererseits habe ich ganz kleine Pflänzchen entstehen sehen, die sich wunderbar entwickelten.

Daher ist mein wichtigstes Antidot, mein wichtigstes Mittel gegen die überall präsente Illusion, die Vorsicht und diese erfordert Zeit. Wer sich hetzt, hat schon verloren. Ebenso wie derjenige, der immer und sofort weiß, wo's lang geht. Und genauso hat derjenige verloren, der sich nicht mehr infrage stellt.

Und wieder sind wir bei einem Paradoxon des Lebens angelangt: Auf der einen Seite ist es wichtig, dass man als Therapeut genau weiß, was man tut. Auf der anderen Seite muss man dieses Wissen stets infrage stellen. Mahatma Gandhi bringt dies wieder einmal unnachahmlich auf den Punkt: *Wenn du etwas zwei Jahre lang gemacht hast, betrachte es sorgfältig. Wenn du es fünf Jahre lang gemacht hast, betrachte es misstrauisch. Wenn du etwas zehn Jahre lang gemacht hast, ändere es.*

Deswegen ist die Zeit eine der großen Feindinnen der Illusion, denn die Wahrheit hat nur eine Aufgabe: Ans Licht zu kommen. So nagt die Wahrheit an der Illusion und irgendwann in naher, entfernter oder weiter entfernter Zukunft fällt die Illusion zusammen und die Wahrheit beziehungsweise die Realität, die ja aufs engste mit der Wahrheit verbunden ist, werden sichtbar. Geschieht dies, müssen wir bereit sein, uns selber zu hinterfragen beziehungsweise hinterfragen zu lassen. Deswegen finde ich Gruppentherapie so wichtig, denn hier kann ich nicht „im stillen Kämmerlein" sagen, was ich möchte, sondern habe Dutzende von Menschen, häufig auch Kollegen, die mir spiegeln, wie sie mich, meine Kommunikation, meine Interaktion erleben.

KRITIKFÄHIGKEIT

Vor einiger Zeit hatte ich das Problem, dass eine Seminarteilnehmerin, die in der Gruppe an einem tiefen Problem gearbeitet hatte, eine Therapie bei einem Analytiker begann, ohne mich darüber zu informieren. Als dies in der darauf folgenden Gruppe Thema wurde, fragte ich sie, warum sie mich nicht angerufen beziehungsweise eine Mail geschickt hätte, denn ich sei ja immer zu erreichen. Ich finde diese Erreichbarkeit sehr wichtig und schreibe deshalb für die Beantwortung einer Mail keine Rechnung. Ich sagte ihr auch, ich sähe hier die Gefahr einer Spaltung, weswegen ich sie fragte, ob der Analytiker wisse, dass sie bei mir in Therapie sei. Das bejahte sie – und ich verstand den Kollegen ehrlich gesagt nicht. Besonders auch deshalb nicht, denn bereits im Vorgespräch mit ihr war deutlich geworden, dass sie so große Angst hat, nicht zu bekommen, was sie will, dass sie genau das tut, wodurch sie am Ende das bekommt, was sie NICHT will.

Deshalb sagte ich ihr, ich könne und wolle diese Spaltung nicht unterstützen und bitte sie, entweder die Einzeltherapie oder die Gruppe aufzuhören. Unter Tränen bat sie mich, in der Gruppe bleiben zu dürfen, sie habe das Problem erkannt und werde die Arbeit mit dem Analytiker beenden.

Bald darauf bekam ich eine Mail von ihr, in der sie schrieb, ich hätte sie gezwungen, die Gruppe weiterzumachen, das fände sie unmöglich, sie habe kein Vertrauen mehr in mich und werde die Gruppe aufhören. Damit nicht genug sagten mir drei ihrer Freundinnen, die ebenfalls in der Gruppe waren, kurz vor der nächsten Gruppensitzung mit ganz ähnlichen Argumenten ab, denn sie hätten ebenfalls woanders eine Therapie begonnen.

In der nächsten Gruppensitzung sprach ich die Thematik offen an und ich fragte die Gruppe auch, ob sie mein Verhalten inadäquat, zu hart oder nicht empathisch genug empfunden hätte. In der Runde saßen auch eine hervorragende Analytikerin und eine sehr erfolgreiche Diplom-Psychologin. Alle Meinungen waren mir sehr wichtig und es war für mich interessant, dass ich mir gegenüber in vielem kritischer war als die Gruppe. So störte mich an mir, dass ich das Verhalten des obigen Analytikers unmöglich fand. Das fand ich zu emotional. Heute würde ich dies nur nüchtern zur Kenntnis nehmen. Gut fand ich dagegen, dass ich die Patientin auf ihre Mail hin angerufen, alles geklärt und sie sich sogar für ihre Unterstellungen entschuldigt hatte. Dass dies zu keiner Verhaltensänderung ihrerseits führte, hatte ich damit nicht mehr zu verantworten.

Hier kommen wir zu etwas, was ich mit der Zeit gelernt habe: **Niemals auf eine negative Mail mit einer Mail zu antworten**, mag diese noch so freundlich, noch so sachlich, noch so kompromissbereit formuliert sein. Mit keiner einzigen Mail habe ich erreicht, was ich mir erhofft hatte. Warum? Weil solche Mails (fast) immer aus einer negativen Übertragungssituation entstehen, und diese lässt sich nur verbal lösen. Deshalb ist meine Regel heute: Bekomme ich eine negative Mail, dann rufe ich an. So konnte ich bisher alles ausräumen, was ich früher mittels einer Antwortmail nie erreicht habe.

Zu Kritik, Selbstkritik und Kritikfähigkeit gehört für mich als Therapeut auch, dass ich mir immer bewusst werde, und bewusst bin, welche Gefühle ich wann zeigen kann.
Eine meiner Schwächen ist zum Beispiel, dass ich keine ausgeprägte Antenne für Intelligenz beziehungsweise für mangelnde Intelligenz habe. Ich kriege es einfach nicht mit, und das ist ein wirkliches Problem, wenn jemand nicht verstehen KANN. Nun habe ich gelernt, dann hellhörig zu werden, wenn ich ungeduldig werde. Dass mahnt mich zur Vorsicht, denn heute weiß ich, dass mein Gegenüber in solch einer Situation wahrscheinlich Probleme hat, mich zu verstehen.
Ein deutliches Beispiel dafür war Josephine, die bei einer Ausbildungsgruppe mitmachte, die ich vor einigen Jahren gab. Sie hatte, bevor sie zu mir kam, offensichtlich eine hervorragende Therapie gemacht, denn sie war sehr stabil und klar in ihrer Kommunikation. Deswegen war mir nicht aufgefallen, dass sie Probleme hatte, kompliziertere Sachverhalte zu verstehen. Ihr Problem wurde aber in der Gruppe sehr deutlich – ich merkte es damals natürlich als einer der letzten! Weil sie so erfolgreich an sich gearbeitet hatte, konnte sie sogar ihren Selbstwert dadurch stärken, dass sie ihre Probleme deutlich

ansprach und klar ihren Wunsch ausdrückte, die Gruppe aufhören zu wollen. Wir bedauerten das alle sehr, verstanden aber ihren Wunsch und verabschiedeten sie am Ende der Gruppe sehr herzlich.

Licht und Schatten

Kritik und Kritikfähigkeit sind so wichtig, weil das Leben ein unendlicher Prozess ist, denn das Ziel ist ja die absolute Selbsterkenntnis, oder wie die Inder sagen würden: die Erleuchtung. Deshalb kommt man immer wieder in Situationen, die einen herausfordern. Es ist wie mit dem Auto fahren: Mache ich die erste Fahrstunde, so ist allein die Koordination der Füße ein Problem. Fahre ich zehn Jahre, dann sind besondere Witterungsverhältnisse eine Herausforderung. Fahre ich so gut, dass ich ein Rennfahrer bin, dann stellt das Rennen selbst eine Riesenherausforderung dar. D.h.: Je besser ich werde, desto mehr komme ich in Situationen, die eine höhere Anforderung an mich stellen. Warum? Weil Wissen immer an Grenzen stößt. Aber auf unserem Weg von Herausforderung zu Herausforderung gelangen wir schließlich dahin, dass wir ein Gebiet immer besser beherrschen. So entsteht Meisterschaft. **Allerdings werden mit dem Mehr an Können auch die Risiken größer**. Das müssen wir uns immer vor Augen führen. Ich finde in diesem Zusammenhang, dass viele Chirurgen Großartiges leisten und bewundere deren Können uneingeschränkt. Wenn ich aber höre, dass es Chirurgen gibt, die in der Lage sind, siamesische Zwillinge mit all den Blutbahnen, Nerven, Muskeln und vielem, vielem mehr zu trennen, dann finde ich solch eine Leistung einfach unvorstellbar. Aber das Risiko ist auch riesig, wie man bei der Operation von den zwei Schwestern aus dem Iran sehen konnte, die sich solch einem Eingriff unterzogen und ihn nicht überlebten.

Bei **jedem** wächst das Risiko mit dem Zunehmen des Wissens und der Erfahrung. Ich finde dies wird viel zu wenig gesagt beziehungsweise bewusst gemacht. Mir selbst war dieses synchrone Wachsen lange Zeit nicht bewusst. Ich dachte, mit dem Wachsen der Erfahrung, mit dem Zunehmen des Könnens würden die Risiken entsprechend geringer werden. Meine wichtige Lehre: Das trifft nicht zu.
Als ich damals bioenergetische Übungen machte, war mein größtes Risiko, dass jemand dekompensierte, d.h. psychotisch wurde. Natürlich ein Risiko, aber eines, womit ich gelernt hatte umzugehen.

Heute sind die Risiken völlig andere. So rief mich vor nicht allzu langer Zeit eine Patientin an, Frauke, ich möge doch bitte mit ihrem Onkel reden, der wolle sie in die Psychiatrie einweisen. Etwas verwundert sprach ich mit ihrem Onkel, der Arzt war und mir recht Erstaunliches offenbarte. Frauke hatte ihm gesagt, sie werde sich umbringen. Das hatte ihn verständlicherweise alarmiert. Was er mir außerdem sagte, alarmierte mich ebenfalls: Ich wusste, dass Fraukes Mutter sich das Leben genommen hatte. Ich wusste aber nicht, dass ihre beiden Tanten, die Schwestern dieses Onkels, mehrere Selbstmordversuche unternommen hatten. Die eine solch einen schlimmen, dass sie ihre Hände nicht mehr frei bewegen konnte, da sie mit den Pulsadern auch wichtige Nerven und Sehnen durchtrennt hatte. Und dass ihre Großmutter ebenfalls Selbstmordversuche unternommen hatte, wusste ich genauso wenig.
Ihr Onkel wollte nun von mir die schriftliche Bestätigung per Fax, dass ich die volle Verantwortung für Frauke übernehme und dass ich ihm zusichere, dass keine Selbstmordgefahr besteht. Wie sollte ich das tun, wo Frauke mir so vieles nicht erzählt und sie außerdem ihrem Onkel auch noch gesagt hatte, sie würde sich das Leben nehmen, er solle ihr Hab und Gut verteilen? Ich fand, sie müsste Verantwortung für das übernehmen, was sie hier losgetreten hatte. Deswegen sagte ich

ihrem Onkel, ich würde die Verantwortung nicht übernehmen. So wies er sie in die Psychiatrie ein.

Am nächsten Tag rief Frauke mich an und bat mich, sie da wieder raus zu holen. Sie versicherte mir, ich könne mich darauf verlassen, sie würde sich nichts antun. Ich fragte sie mehrfach, ob ich mich darauf verlassen könne und schilderte ihr mein Risiko. Denn bei ihr war auch ihr Bruder, der sich genauso große Sorgen wie ihr Onkel machte. Außerdem musste ich mit dem Oberarzt der Psychiatrie sprechen und auf meine volle Verantwortung um ihre Entlassung bitten.
Mir war bewusst, dass ich Frauke vermitteln musste, dass ich ihr vertraute und zu ihr stand, denn beides war wichtig für ihren Selbstwert. Auf der anderen Seite war mir klar, dass, wenn das schief ging, ich ihren Onkel, ihren Bruder und den Oberarzt gegen mich hätte. Ich vertraute Frauke und ging das Risiko ein. Sie kam direkt nach der Entlassung mit ihrem Bruder zu mir. Das war meine Bedingung gewesen, denn ich wollte mir einen DIREKTEN Eindruck verschaffen, wo sie wirklich innerlich war. Dabei konnte ich ihr aufzeigen, warum sie mit Selbstmord drohte: Sie hörte das Positive, das andere ihr sagten, nicht und hatte zudem nicht das Recht, ihre Gefühle auszudrücken. Deshalb drohte sie mit Selbstmord, um deutlich zu machen, in welcher Not sie war. Erleichtert verabschiedeten wir drei uns. Frauke blieb im telefonischen Kontakt und ich habe mich nicht verschätzt. Sie ist eine wirklich gute Frau, deren Wort gilt.
Es hätte aber auch schief gehen können. Und was dann?
Ich denke, dies ist deutliches Beispiel dafür, dass mit dem Wachsen der Erfahrung auch die Risiken zunehmen.

Das Thema dieses Kapitels ist Fürsorge und Therapie. Manchmal denke ich, wer Fürsorge lebt, gibt keine Therapie. Warum? Weil ich so unendlich oft erlebt habe, dass sich Dinge völlig anders entwickelten als erwartet. So habe ich vor kurzem mit einer Frau gearbeitet, der ich spiegelte, wie wenig sie in Kontakt ging und dass sehr wenig von dem, was wir ihr sagten, bei ihr ankam: nämlich, dass wir sie sehr schätzten. Nach der Arbeit war sie sehr nachdenklich und es schien mir, etwas sei bei ihr angekommen. Nach einigen Tagen bekam ich eine Mail von ihr. Ich war völlig unsicher, was darin stehen würde. Würde sie mir schreiben, sie habe sich nicht verstanden gefühlt? Oder dass es angekommen sei? Was in der Mail stand, hatte ich wirklich nicht erwartet. Sie hatte nach längerer Pause wieder mit ihren Eltern telefoniert. Es war ein herzliches, friedliches Gespräch und ihr Vater, den sie früher stets als eher kühl und desinteressiert erlebt hatte, war nun sehr herzlich gewesen und hatte ihr gesagt, es freue ihn, dass sie sich wieder melde. Das hatte sie sehr überrascht und gefreut. Mich auch, denn ich hatte diese große Veränderung wahrlich nicht erwartet.

Genauso gibt es natürlich die anders gelagerten Fälle, in denen Menschen kurz vor dem Durchbruch stehen und plötzlich alles hinwerfen, wie die oben erwähnte Dorothea. Sie hat eben nicht wie Clara gelernt, in Beziehung POSITIV mit Problemen umzugehen.
Clara ist ein sehr gutes Beispiel, wie Menschen konstruktiv in Beziehungen mit Problemen umgehen.
Sie kam durch ihren Partner Paul in die Paargruppe. Er hat schon einige Seminare bei mir besucht, hat viel geklärt, viel erreicht und zudem einen erheblichen Karrieresprung gemacht. Nun hatte er in Clara die Frau seines Lebens gefunden, die außerdem sogleich bereit war, ihn in ein Paarseminar zu begleiten. Auch keine Selbstverständlichkeit.
Gewöhnlich gehen meine Seminare von Freitag bis Dienstagmittag. Gegen Sonntagmittag habe ich mit allen Teilnehmern bereits eine erste Arbeit gemacht. Es ist dies dann der Zeitpunkt, an dem ich die Neuen frage, ob sie wiederkommen wollen. Da letztes Jahr die Hälfte der Gruppe aufgehört hatte, weil es den Paaren so gut ging, waren nun viele neue Paare da,

die sich sehr wohl fühlten und gerne weitermachen wollten. Dann kamen Paul und Clara an die Reihe, und plötzlich wurde alles unklar. Wir alle fragten uns: was brauchen sie, was wollen sie, wo sind sie? Es kam aber keine klare Antwort.

Es ist nun so, dass ich die Entscheidung bezüglich des Weitermachens nicht gerne auf später verschiebe. Ich habe oft erlebt, dass Teilnehmer mehr und mehr Zeit brauchten, um sich dann doch nicht zu entscheiden, und weil sie sich nicht entscheiden, nicht wiederkommen. Deshalb halte ich es gewöhnlich so, dass ich jemanden nicht nehme, der sich Sonntagmittag noch nicht entscheiden kann. Jeder hat zu dem Zeitpunkt so viel gesehen, so viel gehört, so viel erlebt, dass er sich entscheiden können müsste. Aber nicht Clara. Irgendwie hakte es bei ihr. Ich spürte genau, dass sie noch Zeit brauchte, und sie war sehr froh, als ich sie fragte, ob 17:00 Uhr eine gute Zeit sei, denn dann fing die Gruppe nach der Pause wieder an.
Um 17:00 Uhr entschied sie sich ganz klar, noch zweimal in diesem Jahr in die Gruppe zu kommen. Aber etwas war immer noch unklar.
Dann bat Clara um eine Einzelstunde. Ich wusste überhaupt nicht, was auf mich zukommen würde und freute mich, es zu erfahren, als die beiden kamen. Und was kam raus? Clara hatte sich unwohl gefühlt und kam, um zu klären. Sie hatte große Angst vor dieser Stunde gehabt – und war trotzdem gekommen, um zu klären! Eine große Leistung. Das sagte ich ihr.

Mich interessierte nun, was bei der Entscheidung passiert war. Clara war unter Druck gekommen, weil Paul sie überhaupt nicht informiert, nichts mit ihr besprochen, nichts entschieden hatte. Er, der den Ablauf kannte, hatte Clara überhaupt nicht gestützt und geschützt. Das war ihr Problem gewesen, nicht so sehr die Entscheidung an sich. All dies klärten wir in der Stunde und Clara ging sichtlich erleichtert und stolz auf sich nachhause. Ich habe ihre Leistung sehr bewundert und dies auch deutlich zum Ausdruck gebracht.

Therapie ist Beziehung und dazu gehört das Lernen, sich konstruktiv in einer Partnerschaft zu verhalten. Das hat Clara bravourös gemacht.

THERAPIE UND FREIHEIT

Therapie hat sehr viel mit Freiheit zu tun, zum Beispiel mit der Freiheit von Ängsten, von Zwängen, von Verhaltensweisen, die mich total einengen. So ist es natürlich absolute Unfreiheit, wenn klaustrophobische Ängste mich in meiner Bewegungsfreiheit behindern, weil ich nicht in engen Räumen oder Aufzügen sein kann. Ebenso behindern mich Ängste in meiner beruflichen und auch sonstigen Entwicklung, wenn ich nicht mit vielen Menschen zusammen sein oder einen Vortrag halten kann. Das gleiche gilt für Flugangst, Angst vor Tunneln oder Angst beim Autofahren allgemein.

Hier schafft Therapie eine ganz neue Freiheit, wenn jemand durch das Auflösen seiner Ängste plötzlich Dinge tun kann, die vorher unmöglich waren.

Therapie sollte uns aber auch, wie ich in meinem Buch *Achtung! ... mir selbst und anderen gegenüber* im 7. Kapitel beschreibe, Freiheit von Klischees und Prägungen geben. So stellt es bereits einen großen Schritt zu mehr Freiheit dar, wenn ich mich frage, WAS von dem, was ich von meinen Eltern übernommen habe, wirklich meins ist.

Bin ich ein Bayer, weil ich dort geboren wurde? Bin ich aus demselben Grund ein Deutscher? Bin ich evangelisch, weil ich so getauft und konfirmiert wurde? Bin ich ein Rechtsanwalt, weil dies mein Vater, mein Großvater auch waren, und ich zum Beispiel deren Kanzlei übernommen habe?

Freiheit beginnt für mich immer damit, dass ich mich frage, wer ich wirklich bin, was ICH benötige, um mein Glück, meinen Frieden zu finden und eine erfüllte Beziehung zu führen. Freiheit bedeutet auch, dass ich weiß, WAS mich bestimmt. Es ist für mich immer wieder überraschend, wie viele Menschen kein Interesse haben, dies zu erfahren. Auch haben viele so große Angst vor dem, was sie entdecken könnten, dass sie sich gar nichts anschauen wollen. Dabei kann das von größter Bedeutung sein.

Ein wunderbares Beispiel hierfür ist der berühmte französische Fußballer Zinédine Zidane. Er war der herausragende Spieler im Endspiel um die Weltmeisterschaft 2006 in Berlin. Der Gegner war Italien. Ein raffinierter Gegner. Erst ist die italienische Mannschaft durch eine „Schwalbe" im Strafraum gegen Australien weitergekommen. Dann dadurch, dass sie den hervorragenden deutschen Spieler Torsten Frings ausschaltete, indem sie erreichte, dass er beim Spiel gegen Italien nicht dabei sein durfte. So besiegten die Italiener sowohl die Australier als auch die Deutschen. Man konnte also sogar als Fußballbanause, wie ich einer bin, deutlich sehen, dass die Italiener, wollen wir es mal so sagen, sehr taktisch unterwegs waren.

Das hätte sowohl der französische Trainer als auch Zinédine Zidane als Kapitän der Mannschaft wissen müssen. Doch was geschah? Etwas Unglaubliches! Der italienische Spieler Marco Materazzi ging zu Zinédine Zidane und sagte so etwas wie: „Deine Mutter und deine Schwester sind Huren." Und was machte Zinédine Zidane? Er schlug Marco Materazzi mit der Stirn mit voller Wucht auf die Brust. Die Schiedsrichter hatten es gar nicht gemerkt, doch die Italiener, nicht faul (oder doch eher „foul"?), wiesen sie auf diesen totalen Aussetzer hin – und erreichten ihr Ziel: Der beste französische Spieler wurde disqualifiziert und die französische Mannschaft, dadurch geschwächt, wurde von den Italienern geschlagen.

Ich würde sagen: Welch eine Demonstration von totaler Unfreiheit! Zinédine Zidane kommt mir hier vor wie die Stiere, mit denen Neurologen in einer spanischen Arena Versuche gemacht haben. Sie hatten ihnen vorher Sonden ins Gehirn eingepflanzt, durch die sie die Stiere mit einer Fernbedienung lenken konnten. Drückten sie zum Beispiel auf einen bestimmten Knopf, raste der Stier los. Drückten sie auf einen anderen, dann blieb er abrupt stehen. Genauso hat Marco Materazzi bei Zinédine Zidane die „richtige" Taste gedrückt und der rastete wie obige Stiere aus. Freiheit? Totale Fehlanzeige.

Materazzi heißt auf Italienisch Matratzen. Hätte Zinédine Zidane dies gewusst und wäre er souverän und schlagfertig gewesen, hätte er sagen können: „Ja, ja sie liegen immer auf Materazzi/Matratzen!" Oder er hätte antworten können, wollte er Materazzi eine reinwürgen: „Ja, ja, sie sind immer mit deiner Mutter und deiner Schwester unterwegs!" Er hätte auch einfach sagen können: „Lieber Marco, sonst noch Probleme?"
Aber was macht er? Er lässt sich wie eine Schachfigur von seinem Gegner zuerst provozieren und dann disqualifizieren. Wegen seines Stolzes, seiner offensichtlich maßlosen Wut und seiner totalen Unfreiheit hat Zinédine Zidane seiner Mannschaft und allen französischen Fußballfans sehr geschadet. Und betrachtet man, wie stark solche Fußballweltmeisterschaften den Nationalstolz aktivieren, so hat sein absoluter Ausfall diesen auch verletzt. Warum? Weil hier jemand annahm, er würde richtig, selbstständig, vielleicht sogar frei entscheiden. Dabei hatte er sich provozieren lassen wie ein Stier durch das rote Tuch in der Arena, was am Ende aber nichts anderes als seinen Tod bedeutet. Für den Stier bedeutet, sich provozieren zu lassen, den Tod. Für die französische Mannschaft bedeutete es den Verlust eines sicher gewähnten Sieges.

Und genau dies sollte das Kennenlernen der eigenen Gefühle verhindern. Kommen Gefühle hoch, dann ist es Aufgabe des Therapeuten zu spiegeln, ob sie zielführend sind oder nicht. Deswegen ist der dümmste Satz, den jemand lernen und leben kann, der Imperativ, den wir weiter oben bereits kennenlernten:

Lebe dein Gefühl! Zinédine Zidane hat es getan – mit entsprechenden Konsequenzen. Alle Mörder, die irgendwo in der Welt in der Todeszelle sitzen und auf ihre Hinrichtung warten, haben es auch getan – zu welch einem Preis!

FREIHEIT IST, WÄHLEN ZU KÖNNEN

Ganz anders dagegen Carsten und Marianne. Sie kamen vor einiger Zeit zu mir, weil sie große Beziehungsprobleme hatten. Diese haben sie durch viel Einsatz, durch Klugheit und ihre Bescheidenheit weitestgehend gelöst. Nun hatten sie aber ein neues Problem. Ein Problem, das mit Fürsorge und Freiheit zu tun hatte. Marianne benötigte eine Homepage und Carsten setzte sich sehr dafür ein, dass sie eine bekam, wie sie sich diese wünschte. Er telefonierte viel mit dem Computerfachmann, der sie erstellte. Nun fehlten nur wenige Daten und die Homepage hätte online gehen können. Diese Daten brauchte Carsten von Marianne. Sie war aber in dieser Zeit mit derartig vielen Dingen beschäftigt, dass sie sich weder mit der Homepage noch mit den fehlenden Daten beschäftigen konnte. Da sie aber so froh und dankbar war, dass Carsten all dies für sie machte, glaubte sie nicht, das Recht zu haben, ihm zu sagen, er müsse ihr mindestens zwei Wochen geben, bis sie dies erledigen könne. Stattdessen versprach sie ihm, sie würde ihm die Daten bald geben. Aber nichts geschah. Nun fühlte sich Carsten dem Computerfachmann gegenüber im Wort. Er hatte so gut mit ihm zusammengearbeitet, erlebte ihn als so zuverlässig, dass er nun nicht selbst als unzuverlässig dastehen wollte. Und so kam es zum Krach zwischen Carsten und Marianne.

Sie besprachen diesen Konflikt mit mir in einer Einzelstunde und ich konnte ihnen einen Vorschlag unterbreiten, wie SIE IN DER FÜHRUNG GEBLIEBEN wären. Carsten sagte ich, er hätte, als er merkte, dass Marianne ihm die Daten nicht gab, dem Computerfachmann sagen können, sein Auftrag sei nun hier zu Ende, er solle sich doch bitte von nun an mit seiner Frau absprechen. Am besten hätte er ihm dann gleich die Telefonnummer seiner Frau gegeben. Marianne hätte er das gleiche sagen und ihr die Telefonnummer des Computerfachmanns geben können. Damit hätte er sich nicht mehr in der Verantwortung diesem Mann gegenüber gefühlt und sich nicht über Marianne ärgern brauchen, weil sie ihn, wie er fand, hängen ließ.

Marianne sagte ich, dass ich sie verstand, denn natürlich fühlte sie sich Carsten gegenüber verpflichtet und dankbar. Diese Gefühle sind aber kein Grund dafür, nicht zu sagen, wo man ist und was man braucht. So hätte sie Carsten sagen können: „Vielen Dank für all das, was du hier für mich tust. Aber im Moment kann ich die Daten nicht raussuchen. Bitte gib mir die Nummer des Computerfachmanns, dann rufe ich ihn an, und du bist entlastet."

Carsten und Marianne waren sehr offen, deswegen konnten sie meine Anregung sogleich annehmen und umsetzen.

Genau darum geht es beim Thema „Therapie und Freiheit": Die Meisterschaft, die Führung in meinem Leben zu bekommen und zu erhalten. Es geht darum, aus eingefahrenen, durch Erziehung vorgegebenen Verhaltensmustern aussteigen zu können. D.h. zum Beispiel auf eine Aggression wie „Du bist blöd!" nicht mit Aggressionen reagieren zu müssen, sondern einen Paradigmenwechsel vornehmen zu können. Anstatt zu bestätigen, dass man wirklich dumm ist, indem man erwidert „Und du bist saudumm!", steigt man aus solch einem aufgezwungenen Verhalten zum Beispiel dadurch aus, dass man einfach fragt: „Inwiefern?"

Freiheit bedeutet, dass ich auf vorgegebene negative Gefühle nicht reagieren MUSS. Ich KANN, ich kann aber auch nicht. **Wählen zu können, ist Freiheit**. Nicht wählen zu können, ist Gefangenschaft. Kein Wunder, dass viele, die keine Verhaltensalternativen haben, die nicht wählen können, im Gefängnis

landen. **Sie landen im Gefängnis, weil sie bereits innerlich im Gefängnis sind.** Dies ist weder Freiheit noch Fürsorge.
Und genau diese Unfreiheit sollte Therapie unbedingt verhindern, indem sie uns eine völlig neue Freiheit gibt und uns dadurch die Fürsorge leben lässt. Wir erhalten dadurch die Freiheit, mit anderen in eine Interaktion zu kommen und damit zu sehen, was **sie** benötigen, was **wir** brauchen und wie wir die Interessen **beider** durch gute Kommunikation in Einklang bringen.

Freiheit und Fürsorge sind damit untrennbar miteinander verbunden, denn ohne Freiheit kann ich nicht für mich sorgen und ohne Fürsorge ist Freiheit sinnlos oder gar gefährlich. Zum Beispiel dann, wenn ich Freiheit dahingehend missverstehe, dass ich tue und lasse, was ich will, und damit mir beziehungsweise anderen schade.
Deshalb haben natürlich die Philosophen Recht, die sagen, frei sei nur derjenige, der Gutes tut. Ein Gedanke, den man wunderbar als Maßstab und als Leitfaden für das eigene Tun verwenden kann, verwenden sollte.

13. Die Step by Stepski Methode

Nun schreibe ich immer wieder von meiner Therapie, den Aufstellungen, den Arbeiten in den Gruppen. Ich kann mir nun denken, dass manch ein Leser sich fragt: „Was passiert da eigentlich? Wie kann ich mir den Ablauf vorstellen?" Daher hier ein kurzer Abriss davon, wie ich arbeite.
Meine Therapie nenne ich die *Step by Stepski* Methode, weil sie aus mehreren Schritten besteht.

Step 1: Das Erstgespräch und
Step 2: Die Auswahl der Gruppe

Bevor ich jemanden in eine meiner Gruppen aufnehme, führe ich ein Erstgespräch. Viele finden das aber gar nicht wichtig, was mich sehr überrascht. Sie würden unbesehen in eine Gruppe kommen, deren Therapeut sie vorher nicht kennengelernt haben und von dem sie gar nicht wissen, ob sie mit ihm überhaupt können. Das ist ein Thema von Fürsorge. Es kann mir als Teilnehmer zwar immer noch passieren, dass ein Therapeut in einer Einzelstunde völlig anders als in einer Gruppe ist. Aber zumindest habe ich ihn schon mal kennen gelernt, habe ihn spüren und erleben können, hatte Gelegenheit, ihm Fragen zu stellen, und konnte sehen, wie er darauf reagiert.
Viele haben aber so wenig gelernt, für sich zu sorgen, dass sie gar nicht auf die Idee kommen, dies als wichtig einzustufen.
Diese mangelnde Fürsorge drückt sich dann häufig direkt in der Einzelstunde aus, insofern mein Gegenüber keine Fragen hat, auf meine Fragen eher einsilbig beziehungsweise lange und ausschweifend antwortet und mich auch nicht fragt, was

ich in den Gruppen mache, was mein Ziel in der Therapie ist und warum.

Diese mangelnde Fürsorge kann extreme Formen annehmen. Dann sitzt jemand da und sagt gar nichts oder sehr wenig und vermittelt mir ganz deutlich, dass er froh ist, wenn die Stunde vorbei ist und wir uns in der Gruppe wieder sehen. So jemand kann so wenig für sich in Anspruch nehmen, dass er nicht damit umgehen kann, dass ich hier ganz für ihn da bin und wirklich wissen möchte, was er braucht. Bei solchen Menschen ist Fürsorge ein bestimmendes Thema in der anschließenden Therapie.

Es gibt auch das andere Extrem, das, weil sehr extrem, zum Glück sehr selten vorkommt. So kam ein Paar extra aus Wien zu einer Einzelstunde angereist. Sie war schwanger, die Beziehung war völlig unklar und sie hatten offensichtlich große Probleme.

Kaum saßen sie bei mir, stritten sie nur noch. Ich versuchte immer wieder, etwas zu sagen, hatte aber keine Chance. Nachdem ich mehrfach vergeblich versucht hatte, mir Gehör zu verschaffen, sagte ich ihnen das, was ich erlebte: Sie gäben mir keine Möglichkeit auch nur irgendetwas zu ihnen zu sagen. Auch darauf hörten sie nicht. Auch dies musste ich mehrfach wiederholen. Da sagte ich, und nun horchten sie zum ersten Mal auf (!), ich würde nicht mit ihnen arbeiten. Streiten könnten sie genauso gut zuhause, denn meine Anwesenheit habe für sie ja offensichtlich keine Bedeutung, sie hätten mir nicht ein einziges Mal zugehört. Daraufhin verließ die Frau verärgert den Raum. Der Mann dagegen kam zu mir, dankte mir, bezahlte mich und verabschiedete sich ganz zufrieden. Ich weiß bis heute noch nicht, was die beiden von mir wollten.

Verläuft die Stunde nicht so extrem wie in diesen beiden geschilderten Fällen, dann entsteht gewöhnlich eine gute Kom-

munikation und mein Gegenüber und ich besprechen gemeinsam, welche Gruppe die beste ist.
Hier erlebe ich häufig etwas fast Magisches. Rein durch die Termine ergibt sich für viele die Auswahl der passenden Gruppe, die sehr häufig genau die richtige ist.

Damit ist das Erstgespräch Step 1 und die Auswahl der Gruppe Step 2 abgeschlossen.

STEP 3: DIE GRUPPE

Viele fragen mich, warum ich so wenig Einzelstunden gebe und fast nur in Gruppen arbeite. Die Antwort ist: Weil dies aus meiner Sicht die effizienteste Form von Therapie ist.
Erstens stellt die Gruppe in der Übertragung die Familie dar, d.h. die Teilnehmer erleben in der Gruppe die Gefühle, die sie in ihrer Familie hatten. Das macht die Arbeit zum Teil natürlich schwerer, weil zwangsläufig mehr Ängste beziehungsweise mehr Spannungen entstehen und sich deshalb mehr Möglichkeiten für Konflikte ergeben können. Sind aber Fürsorge und Achtung die bestimmenden Gefühle in der Gruppe, fühlen sich auch neue Teilnehmer sehr schnell wohl und geborgen.
Zweitens macht eben diese Konstellation die Arbeit besonders effizient, denn die Themen kommen schnell auf den Tisch.
Hinzu kommt **drittens**, dass die Interaktion mit den anderen Seminarteilnehmern Synergien erzeugt, die ganz neue Perspektiven eröffnen. Da jeder sich in der Gruppe melden und etwas sagen kann, ergibt sich dadurch ein Potenzial an neuen Lösungsmöglichkeiten, auf die ich allein niemals käme.
Viertens bietet die Gruppe Interaktionsmöglichkeiten, die ein Einzelgespräch zwangsläufig nicht bietet. So kann jemand in der Gruppe sich, seine Ursprungsfamilie und Erfolg beziehungsweise Misserfolg und vieles, vieles mehr aufstellen, woran in einem Einzelgespräch nicht zu denken wäre.

Oder jemand kann – wie ein Basketballcoach dies tat – seine gesamte Mannschaft und seine zwei Chefs aufstellen. Dadurch bekam er ein derart detailliertes Verständnis der Situation, dass er nicht nur die richtigen Spieler auswählen konnte, sondern auch begriff, wie seine Chefs zu ihm standen und wie er sich ihnen gegenüber verhalten sollte. Nach dieser Aufstellung veränderte sich sehr viel in seiner Arbeit und in seinem Team und sie wurden erfolgreich.

Fünftens: Dadurch, dass man andere Arbeiten hört und sich und sein Verhalten darin wiedererkennt, kann man noch viel mehr mitnehmen, als „nur" die eigene Arbeit.

STEP 4: ZIELE

Der vierte Schritt meiner Arbeit besteht darin, dass jeder am Anfang der Gruppe sagt, was er bis zum letzten Seminartag erreichen möchte.

Dies hat mit Zielsetzung zu tun. Hier bin ich immer wieder überrascht, wie viele Menschen so große Schritte gehen, wie sich bei einem Therapeuten zu melden, in eine Einzelstunde zu kommen, sich für eine Gruppe zu entscheiden und auch dahin zu gehen, sie aber gar kein Ziel haben! Wieder sind wir bei der Fürsorge: Wie sehr müssen Menschen übergangen worden sein, wie sehr müssen sie unter Druck sein oder gar leiden, dass sie all diese beachtlichen Schritte gehen und trotzdem kein Ziel haben. Der Grund dafür ist, dass viele gar kein Ziel haben DÜRFEN. Sie erlauben sich nicht, eigene Ziele zu haben und zu verfolgen. Sie bekamen durch ihre Eltern keine adäquate Fürsorge und deshalb entwickelten sie keine Grundfürsorge (s. Kap. 1).

STEP 5: DAS THEMA

Damit kommen wir automatisch zum fünften Schritt: Dass ich mich frage, mir überlege, was jeder einzelne WIRKLICH braucht. Dass ich das Hauptthema eines Menschen herausfinde – und das ist nicht immer identisch mit dem formulierten Ziel seitens des Gruppenteilnehmers. Dies ist ein besonders wichtiger Schritt, denn dadurch, dass ich herausfinde, was das Hauptthema eines Menschen ist, wird meiner Ansicht nach Veränderung erst möglich.

Kommt jemand in die Gruppe und hat kein Ziel beziehungsweise ich spüre, dass er keins haben darf, dann arbeite ich erst mal daran.
Deshalb bin ich auch sehr vorsichtig, irgendetwas aufzustellen, ohne GENAU zu wissen, worum es geht.
Hier kommen wir nämlich zu einem Hauptproblem von aktiven Therapiemethoden wie Bioenergetik oder Aufstellungsarbeit. Bei ihnen besteht das große Problem darin, dass immer etwas herauskommt. Die große Frage ist aber, ob es WIRKLICH HILFREICH und AUF DAUER hilfreich ist.
Dies ist der Grund, warum ich mich von der Bioenergetischen Analyse und vom wöchentlichen Arbeiten distanziert habe. Es kam immer etwas heraus und die Seminarteilnehmer machten, so schien es, wunderbare Entwicklungen. Wie sich aber später herausstellte, waren sie häufig nicht von Dauer.

Deshalb gilt bei mir stets das psychoanalytische Motto: **Widerstandsanalyse vor Inhaltsanalyse.**
Eine **Inhaltsanalyse** wäre, wenn jemand kein Ziel sagen kann, weil er in seiner Kindheit keins haben, geschweige denn, erreichen durfte.
Eine **Widerstandsanalyse** ergibt sich dagegen daraus, dass er kein Ziel nennt, weil er weder mir noch der Gruppe vertrauen kann. Dies muss zuerst gelöst werden, d.h. es muss herausgefunden werden, WARUM er mir und der Gruppe nicht vertraut. Wird dies nicht geklärt, bringe ich den Patienten um einen wichtigen Entwicklungsschritt, was im Extremfall bedingt, dass die Therapie scheitert.

STEP 6: WO IST MEIN GEGENÜBER?

Der sechste Schritt ist, dass ich mich frage, was für mein Gegenüber nun das Hilfreichste ist. Lasse ich es bei der Deutung seines Verhaltens bewenden? Ist sie überhaupt angekommen? Braucht er Verständnis, Nachempfinden? Ist hier ein Gespräch mit verschiedenen Gruppenteilnehmern hilfreich? Oder ist es besser, wenn er sich durch eine Aufstellung etwas ansehen kann?
Was in diesem Moment weiterhilft, zeigt der Verlauf des Prozesses auf. Im Grunde muss man ihn nur aufmerksam beobachten, dann weist er von allein den richtigen Weg.

STEP 7: KLEINGRUPPEN

Ich habe festgestellt, dass es vielen hilft, das, was in der großen Runde Thema war, nochmals in einer Kleingruppe nach zu besprechen. Außerdem ist es eine wunderbare Gelegenheit für alle, Selbstwert aufzubauen, indem sie für andere da sind. Hinzu kommt, dass in diesen Kleingruppen Dinge zur Sprache kommen, die in der großen Gruppe (noch) zu viel Angst machen würden. Und schließlich wünsche ich mir, dass zwischen den Teilnehmern viel Interaktion stattfindet, weswegen sie auch im Institut übernachten können. Denn naher, herzlicher, fürsorglicher Kontakt stellt bereits eine Form der Heilung dar.

STEP 8: DIE 1. ARBEIT

Jetzt kommen wir zum achten Schritt und damit zur Frage, ob das, was ich gesagt beziehungsweise gedeutet habe, auch angekommen ist. Denn häufig ist dies nicht der Fall.
Ich habe festgestellt, dass Menschen dem, was sie hören nicht besonders trauen. Was sie dagegen sehen, das glauben sie.
So kann ich jemandem sagen, dass die Tatsache, dass er kein Ziel hat, etwas mit Fürsorge zu tun hat, genau genommen mit

mangelnder Fürsorge. Mein Gegenüber kann dabei alle Zeichen des Verstehens, des Nachdenkens, sogar des Berührtseins haben, und trotzdem ist nicht auszuschließen, dass – wenn überhaupt – nur die Hälfte angekommen ist.
Habe ich das Gefühl, dass eine Aufstellung ihn nicht überfordert – was der Fall wäre, wenn sie zu früh käme – und bin ich mir nicht sicher, ob das angekommen ist, was ich zum Beispiel über Fürsorge und Nichtfürsorge sagte, dann bitte ich ihn, diese Instanzen aufzustellen.
In vielen Fällen machen Aufstellungen deutlich, dass das, was ich sagte, nicht so verstanden wurde, wie ich es meinte. Denn nun stehen, um im Beispiel zu bleiben, in der Aufstellung die Fürsorge viel zu nah und die Nichtfürsorge viel zu weit weg von der betreffenden Person beziehungsweise deren Protagonisten. Nachdem alle in der Aufstellung Beteiligten gesagt haben, wie sie sich fühlen, verändert sich das Bild umgehend: Die Nichtfürsorge kommt nah zum Protagonisten und die Fürsorge geht. Dadurch ist dem Aufstellenden möglich **zu sehen**, wie er auf einer UNBEWUSSTEN Ebene mit Fürsorge beziehungsweise Nichtfürsorge umgeht.

Ist die Aussage der Aufstellung angekommen und ich spüre zudem, dass ein neuer Schritt möglich ist, dann strebe ich eine Klärung mit den negativen inneren Instanzen wie Nichtfürsorge, Misserfolg, Unglück und mit den Eltern beziehungsweise der Ursprungsfamilie an.
Dies lässt sich gewöhnlich nicht alles in dieser ersten Arbeit lösen, denn für die Seele ist es viel, so völlig Neues zu sehen, anzuerkennen, anzunehmen und sich außerdem auch noch bewusst zu machen, welche Rolle die Eltern hierbei spielten.
Deswegen ist es wichtig, genau dann inne zu halten, wenn etwas droht, erzwungen zu werden.

Menschen sind häufig ungeduldig. Unterstütze ich aber diese Ungeduld, so erlebt mich das Unbewusste meines Gegenübers nicht als Stütze, sondern eher wie die eigenen Eltern, denn diese waren häufig ebenfalls ungeduldig. So habe ich gelernt, mich nicht zu hetzen und mich nicht hetzen zu lassen. **Alles hat SEINE Zeit.** Hält man die notwendige Zeit nicht ein, läuft man Gefahr, das Ziel aus den Augen zu verlieren und nirgendwo hinzukommen. So sagt der weise Konfuzius: *Ist man in kleinen Dingen nicht geduldig, bringt man die großen Vorhaben zum Scheitern.* Und da Aufstellungen große Vorhaben sind, sollte man besonders vorsichtig mit ihnen sein.

Deshalb lasse ich gewöhnlich die erste Arbeit zwei Tage lang ruhen. Genau aus diesem Grund dauern meine Seminare fünf Tage, damit jeder mindestens zwei Tage Zeit zwischen seinen beiden Arbeiten hat und die Seele damit die Möglichkeit bekommt, sich mit dem Neuen zu befassen und an einer guten Lösung zu arbeiten. Und damit nach der zweiten Arbeit auch noch Zeit zum Ausklingen besteht.

STEP 9: ZEIT

Zeit ist der entscheidende Faktor in der Therapie – wie auch sonst im Leben. Alles hat seine Zeit, deshalb darf ich die ureigene Zeit, die jeder hat, nicht dadurch übergehen, dass ich etwas forciere. Viel wichtiger, als irgendetwas auf Biegen und Brechen erreichen zu wollen, ist es, das Tempo eines jeden achtsam zu behandeln und ihn selbst seinen Prozess bestimmen zu lassen.

Wenn eine innere Arbeit noch nicht genügend Zeit hatte, um in ihrer gesamten Tragweite bewusst zu werden, darf man nichts verändern. Freuds Ziel war bekanntlich: *Wo „Es" war, soll „Ich" werden.* Therapie soll deshalb ein Mehr an Bewusstsein schaffen. Ist mir aber etwas noch gar nicht bewusst, soll aber jetzt schon gelöst werden, dann entsteht kein Mehr an Bewusstsein – sonder möglicherweise nur ein Mehr an Druck. Und das ist wahrlich kein gutes Ziel der Therapie.

Deshalb müssen Dinge ankommen. Dazu brauchen sie Zeit.
Je neuer die Aussage ist, die eine Arbeit oder eine Aufstellung ausdrücken, umso wichtiger ist es, dass sie erst einmal ohne Druck wirken kann. Denn die Seele muss sich gemäß ihres eigenen Rhythmus' entwickeln können und nicht schon wieder fremd bestimmt werden, denn dies war sie schon lange genug.
Ich lebe hier nach dem italienischen Motto: *Non vogliamo riforme violenti – wir wollen keine gewaltsamen Veränderungen.* Denn die sind erfahrungsgemäß nicht von Dauer. Alles hat SEINE eigene Form der Entwicklung: Wer immer wieder an einer grünen Rosenknospe riecht oder gar zerrt, der erreicht gar nichts, wenn nicht gar das Gegenteil von dem, was er sich erhofft. Denn vielleicht beschädigt er mit seinem ungeduldigen Tun die Knospe derart, dass sie verwelkt, bevor sie erblüht und duften kann.

Bemerkenswert und sehr klug finde ich, was Frederic mir bezüglich seiner Zeit in der Therapie bei mir schrieb:

Zeit? Was ist die angemessene Zeit, die Teilnehmer in deinen Seminaren benötigen?

Im Männerseminar bin ich sehr unwissend und kämpferisch gestartet und habe nicht gewagt zu sagen, was ich dachte: Alle, die länger als ein Seminar brauchen, um ihre Themen zu bearbeiten, fand ich nämlich blöd!

Obwohl du und die Gruppe mir von Anfang an gesagt habt, dass ich ein Einzelkämpfer bin, mit dem eigentlich niemand was zu tun haben möchte, habe ich vier Jahre gebraucht, um meinen destruktiven Kampf, den ich führe, wirklich zu sehen und selbst Verantwortung dafür zu übernehmen. Besonders durch das Paarseminar mit Charlotte, sind wir jetzt an unseren wirklichen Themen angelangt.

Die Seminararbeit ist sehr schnell. Was viel mehr Zeit braucht, sind die Prozesse, die sie auslöst: Sich seiner selbst bewusst zu werden, zu fühlen und zu verstehen, wie man selbst die eigenen Weichen zu Problemen wie Unglück, Streit und Verlust stellt und außerdem denkt, Opfer und nicht verantwortlicher Täter zu sein.
Misstrauen und Angst sind Begleiter im therapeutischen Prozess, ein tiefes Leidensthema habe ich erst nach fünf Jahren vertrauensvoller Zusammenarbeit erkennen können.

Gleichzeitig konnte ich berufliche Themen sehr schnell umsetzen. Nachdem ich im ersten Geldseminar meinen jahrelang andauernden Streit in einer Firmenkooperation bearbeitete, entschied ich mich zwei Tage nach dem Seminar, einen Fachanwalt zu nehmen und sofort meine Rechte erfolgreich wahrzunehmen, um nach drei Jahren vor Gericht zu gewinnen und dadurch meine eigene Firma als alleiniger Eigentümer führen zu können.

Im Paarseminar haben Charlotte und ich in einer Aufstellung unsere vier Instanzen: Liebe, Hass, Realität und Illusion angeschaut. Im drei Wochen darauf folgenden Führungsseminar konnte ich berufsbezogen Selbstwert, Erfolg und Fülle erarbeiten, also sehr, sehr schnell.
Auf die Themen bezogen, die wir in unserer Partnerschaft haben, sind negative Beziehungsmuster nach einer über 20 jährigen Ehe nicht so leicht zu verändern. Bei uns beiden sind diese negativen Verhaltensweisen Überlebensstrategien aus unserer Kindheit, die damals gute Begleiter waren und die wir heute noch immer unbewusst mit uns führen.

Vor der Veränderung steht der Bewusstseinsprozess, mit dem vom Verstand und Gefühl aus diese Themeninhalte begriffen werden müssen. Gerade dieses Ankommen von Erlebtem braucht Zeit und ist ein Bewusstseinsprozess, der durch Wider-

stände begleitet wird, wie zum Beispiel die Ängste vor Veränderungen. Auch der eigene Selbstwert beziehungsweise mangelnde Selbstwert verzögert Erfolge, weil ich mir ein erfülltes Leben unbewusst oder bewusst nicht wert bin.

Wie hätte sich ohne fünf Jahre Therapie das Leben von mir und Charlotte verändert?
Wir wären getrennt, krank und/oder hätten uns zerstört und unsere beiden Kinder und ihr Leben dadurch entsprechend in Mitleidenschaft gezogen.

Die Firma wäre aufgeteilt oder sogar zerstört und die Gewinne ebenso vernichtet worden.

Diese nachhaltigen Erfolge in unserem therapeutischen Prozess von fünf Jahren halte ich für hervorragend und sehr effektiv; schnelle Veränderungen zeigen dagegen oft wenig bleibende Besserungen.

Ich hoffe, du kannst mit meinen kurzen inhaltlichen Erfahrungen zum Thema Zeit in deinen therapeutischen Prozessen etwas anfangen.
Viele liebe Grüße von

Frederic

P.S. Witz: Fragt der Vater den kleinen Fritz, der eingeschult wurde; „Wie war's in der Schule? Ist der Lehrer nett?" „Ja", antwortet sein Sohn, „sehr nett, aber irgendetwas ist schief gegangen, ich muss morgen noch mal hin!?!"

STEP 10: DIE LÄNGE DER SEMINARE

Zur Bedeutung der Zeit gehört auch die Tatsache, dass meine Seminare fünf Tage dauern.

Ich wählte die Dauer von fünf Tagen, weil ich feststellte, wie wichtig die Geborgenheit der Gruppe für die Heilung ist. Dafür finde ich ein Wochenende von Freitag bis Sonntag zu kurz. Denn der Freitag ist durch das Ankommen bestimmt. Am Samstag kann man gut arbeiten. Der Sonntag dagegen ist aber bereits vom bevorstehenden Abschied überschattet.
Geht eine Gruppe dagegen von Freitag bis Dienstag, erweitert sich die Zeit, in der gearbeitet wird, um zwei sehr wichtige Tage.

Diese Zeit benötige ich, wenn jemand eine sehr tiefe Arbeit macht und zum Beispiel an sehr schmerzhafte Punkte kommt. Um gut wieder abreisen zu können, reichen hier – von der Fürsorge her betrachtet – zwei Tage nicht aus. So erlebe ich es immer wieder, wie froh viele darüber sind, dass sie noch Zeit in der Gruppe und damit die Möglichkeit haben, mit anderen zu reden und ihnen beziehungsweise mir Fragen zu stellen.
Hinzu kommt, dass ich als Therapeut Zeit brauche, wenn ich eine Widerstandsanalyse mache. Zeige ich zum Beispiel jemandem auf, wie schwer er sich das Leben in der Gruppe macht, dann kann es leicht geschehen, dass er dies als Kritik auffasst – besonders dann, wenn er von zuhause her nichts anderes als Kritik kennt. Hier ist es wichtig, noch zwei, drei Tage Zeit zu haben, um Missverständnisse zu klären und alte Verletzungen heilen zu können.

An dieser Stelle wird etwas deutlich: Zeit ist immer kostbar. **Besonders aber unter dem Gesichtspunkt der Fürsorge.** Hat jemand nicht genug Zeit zur Heilung, dann kann sich die beste Therapie im Nu in ein mehr oder weniger großes Problem verwandeln. D.h., anstatt alte Probleme zu lösen, werden neue geschaffen. Um eben diesen Fehler nicht zu machen, brauchen wir Zeit.

STEP 11: DIE 2. ARBEIT

Nachdem zwei Tage vergangen sind, greife ich die erste Arbeit (siehe Step 8) wieder auf und schaue, wo mein Gegenüber jetzt steht. Häufig ist in der Zwischenzeit durch die selbstheilenden Kräfte der Psyche schon viel passiert und es ist nun möglich, zum Beispiel die Beziehung mit den Eltern zu klären und herauszufinden, warum die negativen Instanzen so nahe standen. Von hier aus kann man den nächsten Schritt zu den positiven Instanzen gehen und damit zu einer neuen Ausrichtung gelangen.

Manchmal ist dies aber noch nicht möglich, weil zum Beispiel Widerstände ein Fortführen der Arbeit noch blockieren. Dann müssen diese erst gelöst werden, bevor eine Inhaltsanalyse, zum Beispiel das Weiterführen der Aufstellung, möglich ist.

STEP 12: RÜCKMELDUNGEN

Während der fünf Tage, die das Seminar dauert, frage ich immer wieder, ob alles in Ordnung ist oder ob jemand noch etwas braucht. Das tue ich aus mehreren Gründen:

Erstens ist es mir ein Anliegen zu wissen, wie es den Teilnehmern geht.

Zweitens fördert es die Selbstverantwortung, wenn jeder aufgefordert ist zu sagen, wie es ihm geht, was er braucht beziehungsweise ob er Fragen hat.

Drittens baut dies Selbstwert auf, denn braucht jemand etwas, so muss er sich möglicherweise überwinden, dies zu sagen, stellt dann aber fest, wie sehr sein Anliegen die Gruppe und mich interessiert.

Viertens ist es mir sehr wichtig, dass am letzten Tag alle das erreicht haben, was sie sich am ersten Tag als Ziel vorgenommen hatten. Dies ist nur möglich, wenn alle Teilnehmer sagen, wenn sie etwas brauchen beziehungsweise mitteilen, wenn es irgendwo hakt. Die Gruppe ist ein Team, in dem zwangsläufig jeder wichtig ist und dies auch wissen muss. Weiß er dies nicht, blockiert er sich und die Gruppe. Viele leben nach der falschen Vorstellung, nichts zu sagen sei gut und sie seien damit nett. Dies ist aber eine völlig falsche Einstellung, denn **nur wer sich engagiert, wer etwas riskiert, wer sich positioniert, gibt. Wer dagegen die ganze Zeit in der Runde sitzt, ohne ein Wort zu sagen, der nimmt,** weil es sehr einfach ist, alles die anderen machen zu lassen und selber in der Beobachterposition zu verharren.

Teilnehmern, die in solch einer Beobachterposition sind, schlage ich vor, wie bereits weiter oben erwähnt, nach jeder dritten Arbeit einen Kommentar abzugeben. Damit überwinden sie ihre Angst, vor der Gruppe zu reden und können feststellen, welch kluge Dinge sie in der Lage sind zu sagen. All dies baut Selbstwert auf. Und Selbstwert ist natürlich eines der wichtigsten Ziele meiner Therapie, weil Selbstwert eine wichtige Voraussetzung für Zufriedenheit und Erfolg ist.

STEP 13: ACHTSAMKEIT

Achtsamkeit ist ein wichtiges Thema in meiner Arbeit. Nicht von ungefähr habe ich das Buch *Achtung! ... Mir selbst und anderen gegenüber* geschrieben. Mir ist nämlich deutlich geworden, dass wir häufig eine Kultur von wenig Achtung und Achtsamkeit leben. Deshalb lege ich großen Wert darauf, dass die Würde, die Verletzlichkeit und die Zartheit der Teilnehmer in der Gruppe geschützt sind. Aus diesem Grund kann keiner unwidersprochen jemandem antworten, er sei empfindlich, wenn dieser sagt, etwas habe ihn verletzt.
So wird in meinen Gruppen immer wieder betont, es gehe nicht darum, was jemand gesagt oder gemeint hat, sondern **es geht vielmehr darum, wie es ankommt.** So muss auch immer wieder gesehen und gewürdigt werden, dass es eine große Leistung ist, wenn jemand in eine Gruppe kommt und bereit

ist, sich selbst kennen zu lernen. Allein deshalb verdient jeder in der Gruppe Achtung und Anerkennung.

Ein Spruch, der deutlich macht, worauf ich neben der Achtung großen Wert lege, stammt von dem römischen Politiker und Philosophen Marcus Tullius Cicero (106-43 v. Chr.): *Keine Schuld ist dringender, als die, danke zu sagen.*
Es kommt immer wieder vor, dass neue Teilnehmer finden, in meinen Gruppen werde „unendlich viel" Bitte und Danke gesagt. So unterschiedlich können Wahrnehmungen sein! Ich finde nämlich, dass sich viele kaum, wenn überhaupt, bedanken. Da setzten sich andere Gruppenteilnehmer mit unendlich viel körperlichem und seelischem Engagement für sie ein, und sie wären glatt in der Lage, sie ohne ein Wörtchen des Danks am Ende einer Aufstellung zu entlassen. Das ist für mich weder Achtung noch Würdigung dessen, was geleistet wurde.
Außerdem habe ich festgestellt, dass viele auch deshalb nicht danken, weil sie die erbrachte Leistung der anderen nicht sehen und deshalb auch nicht wertschätzen.

Damit kommen wir zu einem entscheidenden Punkt: **Zu danken ist wichtig für mein Gegenüber, weil er sich damit gesehen fühlt. Aber noch viel wichtiger ist es für mich, denn tief empfundener Dank nährt mich selbst dadurch, dass ich sehe, was ich bekommen habe und wie viel dies möglicherweise ist. So führt Dankbarkeit zu Zufriedenheit, Glück und Fülle.** Denn Gewinner sind dankbar, glücklich und sind sich der Fülle bewusst, die sie leben. Deshalb sind Gewinner achtsam und fürsorglich. Dies drückt Goethe treffend wie folgt aus: *Der Undank ist immer eine Art Schwäche. Ich habe nie gesehen, dass tüchtige Menschen undankbar gewesen wären.*
Das Ziel von Therapie sollte deshalb unbedingt sein, das Gewinner-Bewusstsein der Teilnehmer zu entwickeln.

STEP 14: DAS LACHEN

Am Eingang zu meinem Therapieraum hängen die folgenden zwei Sprüche. Der eine ist von dem deutschen Dichter Christian Morgenstern und lautet: *Lachen und Lächeln sind Tor und Pforte, durch die viel Gutes in den Menschen hineinhuschen kann!*
Der andere ist vom Dalai Lama: *Wenn Leute lachen, sind sie fähig zu denken!*
Warum hängen sie da? Weil ich sie aufhängen musste! Denn solange diese Sprüche nicht an der Wand hingen, haben sich viele neue Teilnehmer gewundert, warum es so locker in meinen Gruppen zugeht. Kein Wunder, denn viele Therapeuten arbeiten, wie ich es selber erlebt habe, so, dass alles ernst und „gesammelt" ablaufen muss. Am besten wird niemals gelacht.
Ich dagegen finde, dass es in der Therapie genügend Momente gibt, die ernst und berührend sind, und so ist es mir wichtig, dass es auf der anderen Seite leicht und froh sein sollte, wann immer dies möglich ist.
Außerdem: Wie sollten die Seminarteilnehmer lernen, dass das Leben Freude und Fülle ist, wenn in den Gruppen der absolute „Griesgram" herrscht?
Deswegen halten wir uns an die Aussage des Dalai Lama und bestätigen uns, dass wir fähig sind zu denken, indem wir viel lachen!

STEP 15: NACHSORGE ALS FÜRSORGE

Was ich erst vor kurzem eingerichtet habe, was sich aber bereits bewährt hat, ist eine Rückmeldung, die besonders für neue Teilnehmer gedacht ist, aber natürlich auch von älteren Seminarteilnehmern genutzt werden kann.
Es geht hier darum, dass jeder nach sechs bis acht Wochen, wenn er es braucht, entweder eine Kurzsitzung von 25 Minuten oder eine vollständige Einzelstunde nehmen kann. Hierzu wird

er von meinem Assistenten angerufen und gefragt, ob er das Angebot in Anspruch nehmen möchte.

Ich habe nämlich festgestellt, dass besonders neue Teilnehmer nach dem Seminar einige, oft sogar viele Fragen haben, sich aber nicht trauen, diese zu stellen. Deshalb ermuntere ich sie in der Sitzung, mir folgende Fragen zu beantworten:

1. Wie geht es ihnen?
2. Wie hat sich die Arbeit ausgewirkt?
3. Wie gelingt ihnen die Umsetzung?
4. Wie fühlten sie sich in der Gruppe?
5. Gibt es Dinge, die sie noch gerne angesprochen hätten?
6. Haben sie noch Fragen?

STEP 16: DIE DAUER DER THERAPIE

Viele Neue bekommen Angst, wenn sie hören, wie lange manch einer schon zu mir kommt – wie zum Beispiel Frederic im obigen Bericht.

Wenn neue Teilnehmer hören, dass jemand in der Runde sitzt, der bereits vier, fünf, sechs und mehr Jahre bei mir ist, dann denken sie: „Oh Gott, hier kommt man ja nie wieder raus!"

Genau hier ergibt sich eines meiner größten Probleme. Manch einer wirft mir vor, man komme bei mir gar nicht mehr aus einer Gruppe heraus. Andere finden, dass ich zu wenig sage, wenn jemand die Gruppe aufhören möchte, der offensichtlich seine Hauptthemen noch gar nicht bearbeitet hat. Das stimmt: Merke ich, dass jemand nicht bereit ist zu sehen, wo er steht, dann sage ich kein Wort und es ist für mich völlig in Ordnung, dass er aufhört.

Ganz anders aber verhält es sich, wenn ich sehe, dass jemand kurz vor dem Durchbruch steht und unbedingt noch ein, zwei oder drei Seminare dranhängen müsste. Dann setze ich mich dafür ein, dass er dies sieht. In einer meiner Paargruppen hatte ich zufälligerweise mehrere Paare, die an diesem wichtigen

Punkt standen, deshalb riet ich ihnen, noch nicht aufzuhören. Sie vertrauten mir, blieben noch dreimal und hörten dann alle sehr froh die Gruppe auf.

Man muss natürlich auch bedenken, dass manche Themen sehr wohl in ein oder zwei Sitzungen gelöst sind. Deshalb reicht es völlig, wenn Menschen in ein, zwei Gruppen kommen und dann aufhören. Ich finde das absolut in Ordnung. Wir müssen uns aber auch vor Augen halten, dass eine Gruppe nur dreimal im Jahr stattfindet und wie ich anhand der verschiedenen Schritte dargelegt habe, jeder Teilnehmer pro Gruppe zwei bis drei Arbeiten macht. Dies sind im Jahr maximal sechs bis neun Arbeiten. Kommt jemand dagegen wöchentlich ein, zwei Mal zu Einzelstunden, dann ergibt das im Jahr zwischen 40 und 80 Arbeiten. Ein gewaltiger Unterschied. Ich habe die beschriebene Arbeitsweise gewählt, weil ich festgestellt habe, dass Menschen Zeit brauchen, um nachhaltige Veränderungen zu vollziehen. Außerdem bauen die Pausen zwischen den Arbeiten Selbstwert und Selbstständigkeit auf. Deshalb finde ich es wichtig, sofern die Teilnehmer dies auch wünschen, dass ihr Aufbau eines neuen Lebens langsam, dafür aber beständig vorangeht.
Selbstverständlich hat aber jeder nach einem Jahresturnus mit drei Seminaren die Möglichkeit aufzuhören. Allerdings bleiben viele länger, weil sie an immer größeren Zielen arbeiten.

So kam ein Mann zu mir, der erst einmal nur seinen Ärger loswerden wollte. Das konnte er. Daraufhin wollte er in eine Gruppe und hier seine panischen Ängste bearbeiten. Da stellte sich heraus, dass er in einer völlig wahnsinnigen Familie aufgewachsen war. Diesen Wahnsinn zu lösen und neue tragfähige Strukturen aufzubauen, bedurfte einiger Zeit.
Danach wollte er an seiner Beziehungsfähigkeit arbeiten und dies machte er so erfolgreich, dass er bald darauf eine Frau

kennenlernte. Nun stellte er fest, dass er Potenzprobleme hatte. Auch diese löste er.

Jetzt ergab sich für ihn ein ganz neues Ziel: Er wollte studieren, traute sich dies aber nicht zu. Auch diese Problematik löste er in der Gruppe auf und absolvierte dann erfolgreich ein Studium. Natürlich war all dies nicht in einem Jahr zu machen. Deshalb war es kein Wunder, dass die Therapie sich über Jahre hinzog. So war es auch bei einem anderen Mann, der als unglücklicher, verlassener Arbeitsloser zu mir kam und als glücklich verheirateter, erfolgreicher Unternehmer die Gruppe verließ.

Auch möchte ich eine Frau erwähnen, die wegen Versagensängsten zu mir kam, diese löste, dann einen sehr netten Mann kennen lernte, mit ihm in die Paargruppe kam und heute auf allen Ebenen glücklich und zufrieden ist.
Wie gesagt, alles hat seine Zeit, diese lasse ich jedem. Diejenigen, die vor der Lösung ihrer großen Themen aufhören wollen, hindere ich nicht daran, obwohl ich genau sehe, dass sie sich möglicherweise das Leben schwerer machen als nötig wäre. Aber jeder hat eben SEINEN Weg, und der ist für jeden richtig so, wie ER/SIE ihn geht. Und manchmal gibt es eben keine Abkürzungen.

STEP 17: VERTRÄGE

Verträge gehören zu meiner Therapiemethode dazu. Die Idee dazu kam mir vor vielen Jahren, als ich noch in Berlin arbeitete und der Unterschied zwischen mündlichen und schriftlichen Verträgen Thema wurde. Da sagte mir ein Gruppenteilnehmer, den ich sehr schätzte, mündliche Verträge hätten für ihn keinen Wert, denn er würde sich an sein gegebenes Wort nicht halten! Ich war sprachlos. Das hätte ich nie von ihm gedacht. Außerdem war das noch nie meine Einstellung gewesen. Ich finde, wie gesagt, die Einheit von Gedanken, Worten und Werken,

d.h., dass ich das tue, was ich sage und das sage, was ich denke, sehr, sehr wichtig. Viele Menschen leben diese Einheit leider nicht und wollen sie auch gar nicht leben.
Deshalb entstanden meine Verträge.

Hier bin ich nun überrascht, wie viele sie unterschreiben und an meinen Assistenten zurückschicken, ohne sie überhaupt gelesen zu haben. Da verpflichten sich Menschen, ein, zwei oder maximal drei Mal in eine Gruppe zu kommen (das hängt davon ab, wann sie im Jahr mit der Gruppe beginnen), unterschreiben, dass sie dafür zahlen, und nachher wissen sie von nichts. Ebenso ist ihnen der Passus im Vertrag nicht bekannt, dass alle in der Gruppe sich einer Schweigepflicht unterziehen, damit die Privatsphäre der Teilnehmer gewahrt wird und nicht aus Unachtsamkeit Höchstprivates nach außen dringt. Dies hat natürlich alles damit zu tun, wie sie mit Fürsorge für sich und andere umgehen.

Genauso wenig fragen viele nach, wenn sie etwas in dem Vertrag nicht verstehen. Sie empfinden dies nämlich als eine „lästige Begleiterscheinung", die man schnell hinter sich bringen muss. Sie überlegen gar nicht, dass sowohl ich als auch sie eine Verpflichtung eingehen. Ich sehe es als meine absolute Pflicht an, zum Beispiel gesund zu sein, wenn eine Gruppe anberaumt ist. Deswegen macht es mir viel aus, wenn ich zu dem Zeitpunkt krank bin, denn ich gebe auch dann die Gruppen, wenn ich zum Beispiel Fieber habe, da ich weiß, wie es für viele ist, sich alles eingerichtet zu haben und dann doch nicht an ihren Themen arbeiten zu können. Aus diesem Grund habe ich in 32 Jahren Gott sei Dank nur zwei Gruppen absagen müssen, weil ich im Krankenhaus war und um ein Haar gestorben wäre.

Verträge sind dazu da, dass man sich verträgt. Deshalb sind in guten Zeiten geschlossene Verträge eine große Hilfe in schlechten Zeiten. Verträge sollten das Leben vereinfachen.

Aber leider gibt es einige, zum Glück sind es nur sehr wenige, die sich an nichts halten. So müssen wir zum Beispiel im Verlag mit Vorkasse arbeiten, weil einige Kunden Bücher bestellen und sie einfach nicht bezahlen. Das hat den Verlag in früheren Jahren viel Geld gekostet.

Aus eben diesem Grund läuft es auch in den Seminaren so, dass am Ende des einen Seminars bereits das nächste gezahlt wird. Denn auch hier gilt das Pareto-Prinzip von 80:20, das wir bereits kennengelernt haben. Dabei sind es wahrlich nicht 20% der Teilnehmer, die Probleme machen. Es sind glücklicherweise nur 1 bis 2%, aber die können entsprechend wenig in der Realität sein. So buchte zum Beispiel eine Frau ein Seminar und rief mich am Freitag, also am Tag des Beginns, an und sagte mir, sie käme erst zwei Tage später. Am Sonntag rief sie mich dann an und sagte mir, sie komme gar nicht und wolle das Geld zurück haben. Bis zum Schluss konnte ich ihr nicht klarmachen, dass dies ein völlig unmögliches Geschäftsgebaren sei und es außerdem im Vertrag ganz anders geregelt sei. Sie war aber für kein Argument offen und ärgerte sich so sehr, dass sie mich lange Zeit verleumdete.

Solche Menschen gibt es immer wieder und kein Vertrag dieser Welt kann Probleme mit ihnen ausschließen. Verträge können aber das Leben sehr erleichtern und tun dies in den meisten Fällen auch.

Deshalb stellen faire Verträge die beste Fürsorge dar. Zudem sollten Verträge unbedingt schriftlich sein, denn es ist kaum zu glauben, was Menschen vergessen. So machte eine Frau, Verena, auf mein Anraten hin einen schriftlichen Vertrag mit ihrer sehr netten, aber auch sehr chaotischen Schwester, der sie 30.000 Euro lieh. Den Vertag unterschrieben die beiden und versahen ihn mit Datum.

Nach einem Jahr kam die Schwester und wollte Verena 20.000 Euro wiedergeben, denn sie war der felsenfesten und nicht böswilligen Überzeugung, sie habe sich nur 20.000 Euro gelie-

hen – und den Vertrag hatte sie unauffindbar verlegt. Verena dagegen ging zu ihrem Ordner „Wichtige Dokumente", nahm den Vertrag heraus und zeigte ihn ihrer Schwester, die nicht wenig staunte. So bekam Verena ihr Geld. Anschließend kam sie zu mir, bedankte sich und meinte, die Einzelstunde damals sei doch unglaublich günstig und ein wahrer Segen gewesen!
Damit sehen wir, dass gute, faire Verträge gelebte Fürsorge für alle sind.

Soviel zu meiner Arbeit.
Soviel zum Thema Fürsorge in diesem Band.
In Band 2 behandle ich dann Themen wie: Gott, Leben, Tod, Glück, Beruf, Geld – um einige zu nennen.

14. Das Gayatri

Wie ich immer wieder betone, ist das aus dem Hinduismus stammende *Gayatri-Mantra* ein sehr, sehr wichtiges Mantra und zudem eine große Lebenshilfe. So passt es nicht nur wunderbar zum Thema Fülle und Freude, sondern mindestens ebenso gut zur Fürsorge.
So weiß ich von vielen, denen dieses Mantra geholfen hat, schwierige Situationen zu meistern.

Aus diesem Grund habe ich meine Gruppen früher stets damit begonnen, dass wir gemeinsam das *Gayatri* gesungen haben. Nach einem Gespräch mit den neuen Teilnehmern in einer meiner Paargruppen wurde mir aber bewusst, welch eine Hürde dieses Mantra für viele darstellt, da es aus einem anderen Kulturkreis stammt und daher erst mal auf viele befremdlich wirkt. So empfand ich es nicht mehr als fürsorglich, mit dem *Gayatri* zu beginnen und habe das Singen des Mantra durch eine Schweigeminute ersetzt. Diese erzeugt ebenfalls eine schöne Stimmung der Sammlung und inneren Ruhe.

So sind die Zeiten des Singens am Anfang und am Ende der Gruppen für immer vorbei.
Denjenigen, denen es lieb geworden war, fiel diese Veränderung zunächst schwer. Dann aber erlebten sie diese Schweigeminute als große Freiheit und eine schöne Chance, nach innen zu spüren.

Den Neuen und den Skeptischen allem Spirituellen gegenüber aber wurde der Einstieg sehr viel leichter gemacht. Und genau das sollte doch das Ziel von Fürsorge sein – die Türen für alle zu öffnen, die ernsthaft an sich arbeiten und sich entwickeln wollen. Selbst wenn dieses Mantra von so großem Wert ist und Unzähligen geholfen hat.

LITERATUR

Dieckmann, H., et. al.: Übertragung und Gegenübertragung, Gerstenberg, 1980

Bueb, B.: Lob der Disziplin, eine Streitschrift, List, 2007

Collins, J.: Good To Great, Harper Collins Publishers, 2001

Kast-Zahn. A. & Morgenroth, H.: Jedes Kind kann schlafen lernen

Küstenmacher, M. & W., T.: Simplify your life, Küche, Keller, Kleiderschrank entspannt im Griff, Campus, 2003

Küstenmacher, W., T. & Seiwert, J.: Simplify your life, einfacher und glücklicher leben, Campus, 2002

Nelson, J.: Kinder brauchen Ordnung, Mosaik, 2000

Seneca, L. A.:
– Über das glückliche Leben
– Über die Kürze des Lebens
Wissenschaftliche Buchgesellschaft, 1971

Zyla, J. R.: Und am 8. Tag erschuf der Teufel das Business, MMI Management Lounge Verlag, 2010

Seminare von
Dr. von Stepski-Doliwa

Informationen zu den Seminaren von Dr. von Stepski-Doliwa erhalten Sie sowohl über

www.vonstepski.de

als auch über

Erik Fleck
Eisenbahnstr. 1
70825 Korntal-Münchingen
Telefon 0049 / 7150 35 14 37
erik.fleck@vonstepski.de

BÜCHER AUS DEM DOLIWA SAI VERLAG

direkt zu bestellen bei:

    Doliwa Sai Verlag
    Eisenbahnstr. 1
    D - 70825 Korntal-Münchingen
    Fon: 0 71 50 / 35 14 37
    Fax: 0 71 50 / 97 42 42
    E-Mail: kontakt@doliwa-sai-verlag.de
            www.doliwa-sai-verlag.de

Innerhalb Deutschland liefern wir die Bücher an Privatkunden portofrei.

Stephan von Stepski-Doliwa

FÜLLE – IN GESUNDHEIT, BEZIEHUNGEN, BERUF UND FINANZEN

Dr. Stephan Ritter von Stepski-Doliwa berät seit mehr als 30 Jahren Frauen, Männer und Paare in Einzeltherapien und Seminaren. Spezielle Seminarreihen entwickelte er für einen kompetenten Umgang mit Geld und zur Entwicklung nachhaltiger Führungskompetenz. Außerdem ist er als Coach für Vorstände und Führungskräfte überwiegend mittelständiger Unternehmen tätig.
Nachdem er das Buch „Achtung! ... mir selbst und anderen gegenüber" verfasst hatte, wurde dem Autor deutlich: Viele Menschen streben entweder keine Fülle an oder sehen die Fülle nicht, die sie tatsächlich haben. Andere suchen sie, aber ihre Anstrengungen erschöpfen sich im Klagen und Sich-Beschweren. Manche haben sogar regelrecht Angst vor der Fülle – denn das, was man hat, kann man ja auch verlieren. Und ein möglicher Verlust ängstigt mehr als ein Leben in Enge oder gar Mangel. Denn das kennen sie ja bereits.

Das Leben ist aber Fülle. Sogar unendliche Fülle. Wir können sie erkennen und wir können sie leben. Wir müssen nur den Mut dazu entwickeln. Dann werden wir sehen, WIE wir sie erlangen können und, dass sie gar nicht SO unerreichbar ist. Sie befindet sich immer in unserer Reichweite. Wir müssen sie nur ent-decken, unser Glück entfalten, unser Leben ent-wickeln. Dies vermittelt das vorliegende Buch. Und es zeigt, wie wir vorgehen müssen, um Fülle zu erreichen und unser Leben aufblühen zu lassen.

ca. 186 Seiten, € 19,90, ISBN 978-3-930889-29-7

Stephan von Stepski-Doliwa

ACHTUNG!...
MIR SELBST UND ANDEREN GEGENÜBER

Dem Autor wurde sowohl bei seiner Arbeit als auch in seinem privaten Umfeld deutlich, wie wichtig Achtung, Achtsamkeit, Rücksicht und Fürsorge sind und wie häufig sie zu wenig – wenn überhaupt – gelebt werden.

Deshalb wird mit dem Titel Achtung die Doppelbedeutung des Wortes Achtung als Vorsicht und Respekt angesprochen. Gemeint ist: Wir sollten darauf achten, respektvoll zu leben.
Wie wichtig dies ist, zeigt Dr. von Stepski-Doliwa anhand wesentlicher Lebensbereiche und -themen wie Beziehungen, Kommunikation, Erziehung, Ernährung, Glück und Fülle, Architektur, Politik, Führung und Geld.

Das Buch soll auch deutlich machen, dass wir an der Schwelle einer neuen Zeit stehen. Um an ihr teilzuhaben, müssen wir unser Verhalten grundsätzlich neu ausrichten. Es gilt, Achtung, Rücksicht auf und einen neuen Blick für uns selbst, unsere Mitmenschen, die Tiere und die Pflanzen zu entwickeln und zu leben. Nur so kommen wir zu Glück, Gesundheit, Fülle und innerem Frieden.

Wie wir diese neue Ausrichtung erlangen, wie sie sich auswirkt und wie sie uns die gesuchte Erfüllung bringt, zeigt uns dieses Buch.

ca. 395 Seiten, € 23,00, ISBN 978-3-930889-30-3

Stephan von Stepski-Doliwa

Die Platonische Erkenntnistheorie

In der Platonischen Philosophie lassen sich, neben der Naturphilosophie, drei Hauptgebiete unterscheiden: Die Ontologie (die Lehre vom Sein), die Ethik und die Erkenntnistheorie. Die vorliegende Untersuchung weist auf, dass diese drei Themen im Denken Platons aufs **Engste** miteinander verbunden sind. So kann die Ethik nicht ohne Ontologie, die Ontologie nicht ohne Erkenntnistheorie und die Erkenntnistheorie nicht ohne Ethik verstanden werden. Im umfassenden philosophischen System Platons ist das Agathon, das letzte Gute dasjenige, was alles begründet. Dies ist zudem das Eins des PARMENIDES'. Anhand der Interpretation des Dialogs PARMENIDES zeigt sich, dass Platon nicht nur die Notwendigkeit der Erkenntnis des letzten Grundes immer wieder betonte, sondern dass er diese Erkenntnis selbst geleistet hat und deutlich den Weg dahin weist.

171 Seiten, € 15,00, ISBN 978-3-930889-15-0

Stephan von Stepski-Doliwa

Theorie und Technik der analytischen Körpertherapie

Die Körpertherapie erfährt heute eine starke Verbreitung, da sie durch das Einbeziehen des Körpers in den Behandlungsprozess der Therapie eine ganz neue und sehr wichtige Dimension hinzufügt.

Die vorliegende Untersuchung legt dar, wie entscheidend in vielen Fällen die Anwendung der analytischen Mittel ist, und weist auf, dass Körpertherapie und Psychoanalyse nicht als gegensätzliche Ansätze zu betrachten sind, sondern eine ideale Ergänzung darstellen.

geb., 384 Seiten, € 21,00, ISBN 978-3-930889-01-3

Stephan von Stepski-Doliwa

Zeitlose Wahrheiten für jeden Tag

In liebevoller Weise werden in diesem Buch zeitlose Wahrheiten über Partnerschaft, Gesundheit, Ernährung, Erziehung, Geld, Religion und Spiritualität offenbart.

Dies geschieht in 366 Tagessprüchen, die nicht nur unseren Geist inspirieren, sondern auch unser Herz berühren.

ca. 470 Seiten, € 23,00, ISBN 3-930889-17-4

Stephan von Stepski-Doliwa

Zeitlose Wahrheiten über Beziehungen

In diesem Buch wird gezeigt, wie sich jeder Mensch intellektuell, spirituell und gefühlsmäßig auf eine glückliche Beziehung vorbereiten und eine erfüllende Partnerschaft leben kann.

Das Ziel: die Unterschiede von Mann und Frau verstehen, achten und lieben lernen.

Es wird gezeigt, wie jeder mit Schwierigkeiten umgehen kann, wie man konstruktiv kommuniziert, den anderen versteht und z.B. eine Trennung vermeidet.

Es wird aber auch gesagt, was man nach dem Scheitern einer Partnerschaft tun kann.

ca. 450 Seiten, € 23,00, ISBN 3-930889-18-8

Stephan von Stepski-Doliwa

Welt und Gott
Zeitlose Wahrheiten – Band 3

In diesem Buch werden Geschichten beschrieben, die viel Wissen über das Leben vermitteln.
Die Hauptaussage: Das Leben ist der beste Lehrer. Deswegen erfahren wir hier von verschiedenen Schicksalen, durch die wir berührt werden und die Chance erhalten, uns selber zu betrachten und daraus zu lernen.
Ein Buch, das uns vermittelt, wie kostbar das Leben ist, wie viele verschiedene Ebenen der Betrachtung es gibt und wie viel Grund wir haben, das Leben wertzuschätzen beziehungsweise zu lieben.

ca. 350 Seiten, gebunden, € 23,00, ISBN 3-930889-20-4

Stephan von Stepski-Doliwa

ICH BIN ICH UND ICH BIN GUT
Mein Dank, meine Erfolge, meine Ziele

Viele Menschen fragen sich, wie sie erfolgreicher werden können.
Vicle machen deshalb eine Therapie.
Viele visualisieren Sätze, die sie positiv motivieren sollen.
Eine große Hilfe ist es aber auch, seinen Dank für all das Positive, was man erlebt, seine Erfolge und seine Ziele aufzuschreiben.
Wer dies täglich tut, wird sich seiner Leistungen bewusst. Dies baut Selbstwert auf. Je mehr Selbstwert wir aber haben, desto erfolgreicher werden wir. Das heißt: kleiner Einsatz große Wirkung.

ca. 448 Seiten, gebunden, € 24,50, ISBN 3-930889-23-5

Stephan von Stepski-Doliwa

WIE WERDE ICH REICH?
Innerlich und äusserlich

Viele wollen reich werden. Unzählige gehen dabei aber nur in die eine Richtung: Sie streben äußeren Reichtum oder Wohlstand an, bevor sie diese in ihrem Inneren gefunden haben. Wie mit allem, so muss auch gelernt werden, mit Geld umzugehen. Viele Menschen können dies nicht. Warum? Weil sie es entweder nicht gelernt oder falsche innere Vorstellungen von Geld haben. Dr. von Stepski-Doliwa hat in seinen Geld-Seminaren unzählige Menschen zu Wohlstand oder gar Reichtum führen können, indem sie ihre inneren, unbewussten Einstellungen zu Geld veränderten und viel über Wohlstand beziehungsweise Reichtum erfuhren. Wie dies geht, schildert dieses Buch. Zudem gibt es viele praktische Anregungen, wie jeder für sich bereits wichtige Schritte in Richtung inneren und damit äußeren Reichtum gehen kann.
ca. 200 Seiten, gebunden, € 24,50, ISBN 3-930889-22-6

Mantren

Die Welt ist auf Schwingungen aufgebaut. Nun gibt es unterschiedliche Schwingungen. Untersuchungen haben gezeigt, wie zum Beispiel verschiedene Worte mit unterschiedlichen Schwingungen sich auf die Wasserstruktur auswirken. Menschen haben auch unterschiedliche Frequenzen. Mantren können die Schwingung von Menschen verfeinern und damit an die Göttliche Schwingung angleichen. Das Bewusstsein eines Menschen ist an seine Schwingung gebunden. Verändert sich seine Schwingung – zum Beispiel durch Mantren –, dann verändert sich auch sein Bewusstsein.

Gayatri
Das Gayatri ist ein sehr starkes Schutz- und Reinigungsmantra.
Befindest du dich in einer gefährlichen Situation, solltest du das Gayatri singen. Es hat die Kraft, die größten Schwierigkeiten aufzulösen und die negativsten Menschen zu berühren beziehungsweise zum Positiven zu verändern.

Lokah
Das Lokah-Mantra bedeutet: „Mögen alle Welten glücklich sein". Wollen wir Gutes für die Welt tun, haben wir mit diesem Mantra eine sehr gute Möglichkeit dazu. Der Wunsch: Mögen alle Welten glücklich sein, ist deshalb von großer Bedeutung, weil er deutlich macht, das uns auch die anderen – der Rest der Welt! – wichtig sind.

Heilung
Das Heilungs-Mantra ruft Gott an, Er möge heilen. Dies ist ein sehr starkes Mantra, das schon vielen Menschen geholfen hat.

ISBN 3-930889-28-0

Inhalt: Gayatri
Lokah
Heilung